FILOSOFIA DO COTIDIANO

um pequeno tratado sobre questões menores

COLEÇÃO COTIDIANO

ATIVIDADE FÍSICA NO COTIDIANO • RENATA VENERI e CAMILA HIRSCH
CIÊNCIA NO COTIDIANO • NATALIA PASTERNAK e CARLOS ORSI
DIREITO NO COTIDIANO • EDUARDO MUYLAERT
ECONOMIA NO COTIDIANO • ALEXANDRE SCHWARTSMAN
FEMINISMO NO COTIDIANO • MARLI GONÇALVES
FILOSOFIA DO COTIDIANO • LUIZ FELIPE PONDÉ
LONGEVIDADE NO COTIDIANO • MARIZA TAVARES
POLÍTICA NO COTIDIANO • LUIZ FELIPE PONDÉ
PSICOLOGIA NO COTIDIANO • NINA TABOADA
SAÚDE NO COTIDIANO • ARNALDO LICHTENSTEIN
SEXO NO COTIDIANO • CARMITA ABDO

Consulte nosso catálogo completo e últimos lançamentos em **www.editoracontexto.com.br**.

FILOSOFIA DO COTIDIANO

um pequeno tratado sobre questões menores

LUIZ FELIPE PONDÉ

Capa e diagramação
Gustavo S. Vilas Boas

Preparação de textos
Lilian Aquino

Revisão
Bruno Rodrigues

Dados Internacionais de Catalogação na Publicação (CIP)

Pondé, Luiz Felipe
Filosofia do cotidiano : um pequeno tratado sobre questões
menores / Luiz Felipe Pondé. 1.ed., 3ª reimpressão. –
São Paulo : Contexto, 2025.
128 p.

ISBN 978-85-520-0082-2

1. Filosofia – Ensaios I. Título

18-2117 CDD 100

Angélica Ilacqua CRB-8/7057

Índices para catálogo sistemático:
1. Filosofia

2025

EDITORA CONTEXTO
Diretor editorial: *Jaime Pinsky*

Rua Dr. José Elias, 520 – Alto da Lapa
05083-030 – São Paulo – SP
PABX: (11) 3832 5838
contato@editoracontexto.com.br
www.editoracontexto.com.br

"[...] nós, ao crermos que os deuses existem,
nos enganamos com sonhos sem substância e mentiras,
quando, na verdade, a contingência cega,
pura e simples, controla o mundo?"

Eurípedes, *Hécuba*

Sumário

Café da manhã

Sócrates dizia que uma vida não pensada não vale a pena ser vivida – talvez haja um exagero aqui, mas deixemos isso pra outro momento. Por "pensada" ele quer dizer "filosófica", uma vida analisada de forma distante do banal. A banalidade na vida é uma forma de ácido que tudo corrói, reduzindo o cotidiano ao vazio. A alma é um ser que habita o mundo do sentido. Uma vida filosófica busca esse mundo do sentido. E esse sentido pode estar no detalhe. E, às vezes, sentimos que vivemos num deserto de sentido. Mas, não pense que sentido é algo abstrato. Não, é concreto como uma pedra, brota dos vínculos concretos que temos com a vida e com as pessoas e com as ideias e os afetos. Sentido não é vazio de matéria humana, jamais.

Há uma distância histórica enorme entre os gregos antigos e nós, mas eles continuam sendo aqueles que fizeram todas as perguntas que nos orientam até hoje. De onde viemos? Por que existe o universo? Há mesmo o Bem e o Mal? Devo buscar uma vida honesta? Vale a pena ser bom? A linguagem descreve o mundo tal como ele é? O que é o amor? Existem formas distintas de filosófico

amor? Como é a vida após a morte? Os deuses existem? E se existem, têm um plano para nós? O que é uma vida política justa? Como organizar essa vida? Enfim, tudo.

O cotidiano nem sempre é tomado apenas por essas questões profundas. E nem só delas vive o homem, mas também de banalidades. Muitas vezes, ele é tomado por questões "menores", e é a elas que nos dedicaremos aqui. O cotidiano tenderá a ser mais pobre no futuro. Mais entediante e previsível. Refletiremos sobre pequenas questões neste livro, não sobre as grandes questões citadas acima.

Escrevo este livro sob as "bênçãos" do trágico grego Eurípedes, citado na epígrafe de abertura. Na sua tragédia *Hécuba* (esposa do rei de Troia, Príamo), Eurípedes se pergunta: existirão mesmo os deuses ou a contingência cega rege o mundo?

A resposta a essa questão é um divisor de águas, mesmo que você não saiba disso. Ela não é uma simples questão de um dramaturgo distante no tempo. É ela que atormenta você quando o cotidiano, na sua cegueira do hábito, é violentamente interrompido por um fato inesperado e indesejado. Ou mesmo no silêncio do detalhe, quando você acorda de manhã e sente um mau presságio naquele dia que, desgraçadamente, se realiza. Ou quando algo de maravilhoso acontece, e você sente que jamais mereceu tamanha bênção – se você nunca se sentiu assim quando uma "graça" lhe acontece, quando algo de muito bom lhe acontece, você é um pobre de espírito, pois achar que você merece tudo de bom é uma falha grave de caráter. Cuidado: esse tipo de mau-caráter é hoje muito comum, mais do que antigamente.

Mas não pense que assumo a conclusão de que, se for a contingência cega que rege o mundo, está tudo perdido. Não, pode ser que por isso mesmo tudo ganhe outra cor. O desamparo pode ser uma forma de beleza rara quando visto pelo ângulo da coragem. Por outro lado, não presuma tampouco que crer nos deuses faz de você um idiota. Para além do fato que talvez eles existam, crer nos deuses pode ser uma razoável demonstração de saúde, ao passo que a descrença neles, o resultado de pura e simples melancolia ou incapacidade de crer na vida em si. Busquemos, nesse nosso percurso juntos, escapar de conclusões óbvias, pois essas são o atestado último de que falhamos na tarefa de não vivermos uma vida excessivamente banal (digo excessivamente banal porque uma certa dose de banalidade na vida é indício de alguma saúde mental; só gente doente e chata quer ser absolutamente relevante em tudo que faz).

Quando acordamos de manhã, nosso estado de ânimo depende de muitas coisas. E este estado de ânimo acaba por colorir o despertar com seus tons, escuros ou brilhantes. Até o modo e a disposição para comer de manhã sofrerá influência desse estado de ânimo, além de sofrer com as modas e taras com relação à alimentação que assolam o mundo hoje em dia. Esse estado de ânimo será fruto do que aconteceu no dia anterior, dos sonhos que você, por ventura, teve à noite, da qualidade do sono, de quem estava (ou não) ao seu lado na cama (se gozou ou não, sozinho ou não), das expectativas que o dia promete, enfim, de um conjunto de variáveis, muitas vezes fora do seu controle (as variáveis sem controle são o tipo de coisa que nos enlouquece, e elas são muitas). Estará você com saúde? Ou um exame feito semana passada acusou um resultado que você ainda não quis enfrentar com o seu médico?

Uma leve irritação percorre sua espinha, atingindo sua alma sonolenta. Em meio ao pão (com ou sem glúten, depende do seu grau de paranoia e de submissão às modas de comportamento) com manteiga e café preto (uma fruta antes), você se pergunta: "Por que não mando tudo à merda?" Essa será nossa questão a ser respondida. E aí começa nossa filosofia do cotidiano.

Seguiremos em direção a um mar profundo, muito distante do que o senso comum assume que o mundo seja. O mundo não é um mar calmo de evidências. É um oceano cheio de pequenas tempestades a serem vencidas. O cotidiano, nesse percurso, não é a mera passagem das horas, é o cotidiano contemporâneo, permeado pelo caráter histórico desta época em que vivemos. Um cotidiano histórico. E uma história do cotidiano.

1

Pra que acordar?

Afinal de contas, por que acordar? O sentimento de rotina vem à sua mente assim que aquela fronteira entre o sono e a vigília se torna mais clara. Em meio às memórias da noite e do dia anteriores, sua alma (seria ela imortal ou apenas um emaranhando de substâncias químicas?) busca a segurança do dia amanhecido. A luz sempre traz certo repouso para quem sofre de alguma forma de medo.

Aprendemos que devemos acordar cedo e cuidar da vida. As pessoas mesmo dizem que Deus ajuda a quem cedo madruga – e, como todo clichê, é a mais pura verdade. Os outros que dormem até tarde revelariam assim alguma forma de vício, como a preguiça. Mas será mesmo que se esforçar a acordar cedo ajuda a ter uma vida mais segura e bem-sucedida? Não necessariamente, mas temperamento é, em alguma medida, destino. Se você for sempre vítima da preguiça, facilmente se desmanchará diante das demandas da vida real. Acordar cedo, sim, traz um gosto de pegar o dia pelos cabelos, ali onde ele ainda nasce, de modo tranquilo e lento. O despertar do dia sempre parece ter um gosto de fé na Criação, antes da derrocada do pecado original. Uma espécie de ingenuidade cosmológica e moral que alimenta, a cada amanhecer, a esperança no mundo. Acordar tarde coloca você num cenário em que todos, naquele momento, parecem saber algo da realidade que você desconhece. Eles já saberiam que a vida, como diz Macbeth, é um ator correndo de um lado para o outro do palco, um conto narrado por um idiota, cheio de som e fúria, significando nada. Só você ainda não sabe disso. Perder o sol é, quase sempre, uma forma de desperdício.

Alguém me perguntará, e os notívagos? Direi: sempre há lugar para os vampiros e seu charme.

Mas aqui não falamos de charme, mas daquele tipo de virtude que faz de você uma pessoa com quem se pode (ou não) contar nos momentos em que dividimos as crianças dos adultos. Mas, e os melancólicos? Direi: logo teremos tempo para falar dos tristes, principalmente dos jovens tristes. A felicidade, contrariamente ao que nos diz a filosofia idiota do *coaching*, não é fruto de uma fórmula. Os tristes sempre devem ser olhados com reverência. E a filosofia sempre assim o fez.

Acordar porque, simplesmente, é o que se faz todos os dias. A humanidade acorda cedo há centenas de milênios. Dê um voto de confiança à experiência humana acumulada. Ela tem um sentido. Pelo menos, os ancestrais que a tiveram nos legaram o mundo. E você, o que legará à humanidade? Sua obsessão com glúten? Sua mesquinhez com a saúde? A ciência econômica da autoestima? Lembre: a vida é, em grande parte, um desperdício, já que perdida ela está desde o nascimento.

Duras essas palavras? Filosofar nunca foi sobre deixar você feliz. É que andam mentindo muito por aí. Filosofar está mais ligado ao despertar do sonambulismo. Essa é minha proposta nesta conversa com você.

Enfim, acordar porque, simplesmente, é o que se faz todos os dias. Eis um belo motivo para se acordar. Bom dia!

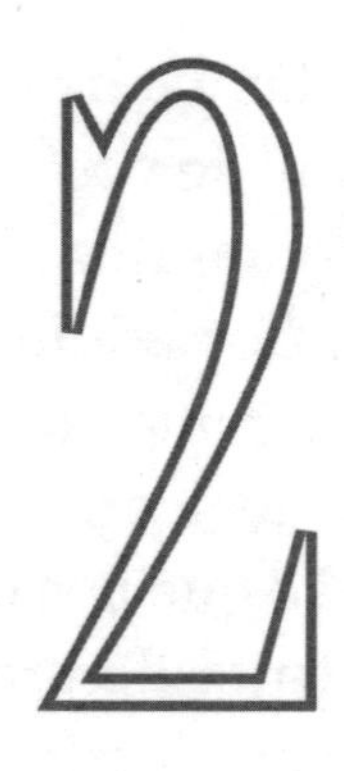

Acordar como despertar do sonambulismo

A ideia de despertar vai mais longe do que apenas se levantar da cama de manhã. Aliás, a expressão "sono dogmático" (oposta a "despertar filosófico") é comum na literatura cética. Além disso, no início do cristianismo, um grupo de cristãos estranhos que se autodenominavam gnósticos também usavam a expressão "despertar" como conceito. E, por último, mas não menos importante, claro, o famoso "mito da caverna" de Platão. Vamos ver o que "despertar" significa nesses três casos, para além do simples despertar.

Os céticos eram filósofos gregos que desconfiavam das teorias sobre a realidade. Tinham por hábito opor teorias contrárias uma a outra e mostrar que elas se eliminavam mutuamente. Quer ver um exemplo?

Perguntemos: Deus existe? Alguns respondem que sim, outros que não. Procure se afastar da sua resposta pessoal a essa questão, senão não funciona. Filosofar é muito sobre aprender a se afastar das próprias crenças e buscar olhar para o mundo sem elas, e ver o que acontece com o mundo e com você.

Aqueles que creem em Deus dirão coisas como "De onde veio o universo?", ou "Se Deus não existe, o Mal pode vencer no final", "Deus falou comigo", "Falei com minha avó morta, logo Deus existe e a alma é imortal". E por aí vai.

Os que não creem em Deus, dirão coisas como: "O mundo é mau, Deus é bom, logo ou ele é mau ou não existe, o mais provável é a ultima hipótese" (guarde na memória a hipótese de Deus ser mau), "Crer em Deus é coisa de ressentido, covarde, alienado", "Deus é uma resposta para o que ainda não entendemos, mas um dia a ciência dará respostas para o que não sabemos, e aí Deus será desnecessário". Enfim, muitas possibilidades.

Se você observar, nenhuma das respostas, pró ou contra Deus, fica de pé. Para um cético (termo que vem do "*to Skopein*", verbo grego antigo que queria dizer "examinar", "observar"), o melhor é "suspender o juízo" ("juízo" aqui é acreditar numa das respostas), e, assim, você sofrerá menos com a inconsistência delas e, por consequência, se frustrará menos com o fato de elas todas serem meia-boca e dependentes de "pequenas" crenças prévias. Chegar a essa condição de não sofrimento era chamado de "*apathéia*" (do verbo "*to Pathein*", que significa "sofrer", mas o substantivo *pathós* acabou sendo traduzido, pelo senso comum, como doença, em patologia, ou paixão), uma condição em que a vida era mais leve e menos frustrante. A filosofia grega sempre foi desconfiada da ideia de termos muitas expectativas e muitas paixões na vida.

Os céticos entendiam que uma vida sem crenças era como despertar do sono dogmático ("dogma" aqui significa "crença", "teoria") daqueles que, como sonâmbulos, caminham na vida acreditando em todo tipo de bobagem, modinha ou lixo veiculado pela mídia e pelas redes sociais. Nesse sentido, um cético é um desperto, enquanto os "crentes" são uns sonâmbulos.

Despertar é viver sem acreditar em nada absolutamente e seguir hábitos consagrados, como acordar de manhã e ir trabalhar... como eu disse no final do capítulo anterior.

Outra forma de usar a expressão "despertar" como mais do que simplesmente acordar de manhã é o uso que os gnósticos faziam. Eu disse a você pouco antes para guardar na memória a ideia de que se o mundo é mau, Deus deve ser mau, lembra? Pois bem, os gnósticos eram cristãos que viveram, *grosso modo*, entre os séculos II e v da era cristã e que acreditavam que o Deus que criou o mundo era mau ("*Demiourgos*"), e Jesus, fora enviado pelo "*Agnostos Theos*" ("Deus Desconhecido" ou "Pai Silencioso"), que nada tinha a ver com o universo. Mas, por que esse *Agnostos Theos* resolveu enviar um representante dele para o mundo, já que ele nada tinha a ver com esse mundo?

Vou contar brevemente uma das teorias do motivo de Deus Desconhecido ter mandado Jesus para cá. No "Evangelho da Verdade" – um dos textos gnósticos encontrados no Egito em 1948, na região conhecida como Nag Hammadi, daí serem chamados de "Evangelhos de Nag Hammadi", "no princípio era a crise" – é narrada a tragédia de Sophia, uma das entidades divinas que viviam no Pleroma, a casa da perfeição onde habitava esse Deus Desconhecido. Ela, um determinado dia, quis conhecer face a face esse Deus Desconhecido. Mas, sendo ele impossível de ser conhecido, Sophia criou um desequilíbrio no Pleroma. Desse desequilíbrio nasceu um filho, o Demiurgos, cego e arrogante, que se achava um deus e decidiu criar o universo a fim de se "divertir" com os humanos, feitos para serem torturados. Vendo o que ele tinha feito, Sophia chorou desesperada. Suas lágrimas caíram sobre a Terra e entraram em alguns humanos. As lágrimas de Sophia, feitas da mesma matéria do

Agnostos Theos, como ela mesma Sophia, se transformaram em centelhas nas almas de alguns poucos dos infelizes torturados humanos. Jesus vem, então, resgatar essas centelhas da mesma matéria do Deus Desconhecido. Quando as pessoas que têm essas centelhas (nem todas têm, por isso poucos são salvos) ouvem Jesus, as centelhas despertam, e eles (os gnósticos, "*gnose*" é "conhecimento", em grego antigo) percebem que a criação é uma câmara de tortura e se afastam do mundo, vivendo em isolamento e celibato para não gerarem mais humanos infelizes. O despertar aqui significa perceber o terror em que todos vivemos.

Mesmo se não acreditarmos nesse mito, que como todo mito não deve ser verdade mesmo, há algo nele que fez com que os gnósticos se tornassem importantes até hoje, para além do traço herético que os caracteriza. A razão da força do despertar gnóstico está no fato de que a hipótese "cosmológica" deles é muito forte: a natureza, para além do que veganos bobos pensam, é uma (bela) câmara de tortura. Comemos uns aos outros. Tudo é devorado, por isso num dos textos se diz: se ouvíssemos o som da natureza na sua totalidade, ouviríamos o gemido absoluto de dor. O pessimismo gnóstico sempre fica marcado em nossa memória. A relação entre despertar e enxergar a dor que permeia a realidade é outra forma poderosa de entender o sentido maior de se acordar um dia na vida.

E o mito da caverna, de Platão? Talvez a maior metáfora filosófica do despertar. Não vou entrar em detalhes sobre o livro *A República*, de Platão, mas apenas ir direto ao assunto e dizer qual é o despertar nesse mito da caverna. O filósofo dessa narrativa, um dia, sai da caverna em que vivia e descobre que o mundo real é outro e que nós vivemos presos numa caverna vendo sombras projetadas na parede, sombras que representam mal o mundo verdadeiro de quem é verdadeiramente livre, porque não escravo de uma percepção enganosa, mal informada, da realidade. Esse filósofo acaba se dando mal porque seus companheiros de caverna não gostam que lhes digam que são ignorantes, delirantes e, portanto, incapazes de compreender a verdade das coisas. O mito da caverna do Platão é uma grande metáfora geral da filosofia como um despertar para o pensamento mais profundo, mais consistente e menos vítima da ignorância. É o próprio mito fundante da filosofia. O destino trágico do filósofo nesse mito não nos deve passar desapercebido porque não é evidente que queiramos romper com os grilhões da ignorância, pois a ignorância pode ser uma forma de conforto. No nosso mundo contemporâneo, uma das maiores pragas no pensamento público e na indústria editorial chama-se "autoajuda", que é, justamente, o falso filósofo a dizer que as sombras são lindas e acabam por serem feitas à nossa imagem e semelhança.

De forma resumida, então, o sentido de acordar como despertar circula entre a descoberta da fraqueza de nossas teorias (ceticismo), a percepção da dor que permeia a natureza e o mundo (gnosticismo), para além das bobagens que se fala hoje em dia sobre a natureza, e o salto no pensamento que é capaz de ver o mundo de forma diferente de como a banalidade o vê. Este último é, mais precisamente, o que se entende por pensar filosoficamente, e não pensar segundo o mero senso comum. É isso que estamos fazendo aqui com o cotidiano histórico de nossas vidas. É romper com a condição de sonâmbulos. Nossa meta não é nem o sonambulismo feliz, nem o infeliz. É acordar.

Lembre-se desses três sentidos de despertar ao longo dos capítulos que seguirão. Se em algum momento você não se lembrar mais do que se trata essas três formas de despertar, volte pra este capítulo e desperte de novo – do contrário, sua leitura será a de um sonâmbulo que atravessa o mundo sem o ver de fato, e você não entenderá mais uma letra do que está lendo. Boa travessia.

O que é melhor? A realidade ou a fantasia?

Nada mais difícil, para algumas pessoas, do que responder a essa pergunta. De cara, ela parece simples: "a realidade". Mas as coisas não são simples assim. A realidade pode ser bem "filha da puta" – tradução livre do conceito filosófico inglês *"life is a bitch"*. E, portanto, fugir dela pode ser a única a saída. Saída que usamos muitas vezes. Mas, antes de decidir qual é a melhor, a realidade ou a fantasia, existe uma questão anterior que atormenta a filosofia. Como saber a diferença entre realidade e fantasia? Ou entre realidade e sonho? Você pode achar que é conversa de bêbado, e pode ser, num certo sentido, mas a coisa pega se você prestar atenção e vir como a "fantasia" pode ser compreendida de várias formas.

Na Grécia já se perguntava como diferenciar o que pensamos que vemos de como as coisas são de fato, ou, dito de forma simples: como diferenciar a realidade da fantasia? Descartes, no século XVII, chegou à conclusão de que era bem difícil saber a diferença entre estar acordado e sonhar que se está acordado. Todos conhecemos essa sensação. Mas aqui ainda se pode falar que isso é papo de bêbado, porque na verdade sempre acordamos uma hora. Toca o despertador, você pode colocá-lo pra dentro do seu sonho, mas uma hora você dança. Mesmo que seja quando você acorda de vez e percebe que perdeu a hora e a reunião com um cliente importante. E aí, você aprende uma lição fundamental: toda vez que você confunde a realidade com a fantasia ou com um sonho, você paga caríssima a conta quando desperta. É assim no caso da reunião, no caso de um amor louco, num jogo que você tem certeza que sabe pra onde vai, numa ideia de negócio que, na sua cabeça (ou seja, na fantasia), você tem certeza que tem a ver com a realidade. Portanto, a diferença é, antes de tudo, quem cobra a conta maior: a realidade é sempre cruel se você não a reconhece quando ela está diante dos seus olhos. Talvez não tenhamos um argumento definitivo sobre a diferença entre a realidade e a fantasia, mas a realidade tem o peso da gravidade (e da contabilidade) ao seu lado.

Como saber se você viu um fantasma ou não? Eu não acredito em fantasmas, mas muitas pessoas ouvem vozes e falam com mortos – e sem tomar tarja preta pra isso. Muito do universo religioso transita por esta dificuldade de saber qual a diferença entre realidade e fantasia. Mesmo as pessoas que têm certeza de que Deus falou com elas. Como saber se foi coisa da cabeça delas, desejo que Deus exista ou se Ele, de fato, falou com elas?

E as drogas? Você sabe que um cético grego, um daqueles aos quais me referi antes, Aenesidemus, se perguntava se você é você de verdade sem beber ou o contrário. A coisa é a seguinte: quando você bebe, sobe na mesa e dança, esse é você que se libertou das amarras sociais graças ao álcool ou o seu verdadeiro Eu se afogou no álcool e no lugar surgiu um Eu falso e devasso?

Onde está o Eu verdadeiro e o falso? A resposta a essa pergunta tem destruído vidas e casamentos ao longo dos séculos. E você ainda acha que a diferença entre a realidade e a fantasia é conversa de bêbado?

Lembra da famosa Capitu do romance *Dom Casmurro*, de Machado de Assis? Ela traiu ou não o marido Bentinho (o "Dom Casmurro" do título é porque ele se transforma num sujeito azedo e esquisito por conta da história que não vou contar)? Como ter certeza de algo quando seu cérebro, movido por ciúmes, começa a ler a realidade a partir do seu desespero? Só os ingênuos ou gente de má-fé não leva a sério essa tragédia humana que é, muitas vezes, não ter certeza do que é verdade ou fantasia (para o bem ou para o mal).

Dito isso, nos perguntemos de novo: o que é melhor, a realidade ou a fantasia?

As crianças são conhecidas por viverem num mundo em que a fantasia e a realidade se misturam. E isso é considerado saudável na idade delas. Mas, no mundo em que vivemos, toda uma indústria da fantasia infantilizante dos adultos, que passa por literatura de autoajuda, palestras motivacionais corporativas, conteúdos de mídias sociais, *workshops* de *coaching*, Facebook e fotos *Instagram-worthy*, trabalha pra dizer que viver fora da realidade é saudável e torna você mais "jovem". Claro que a realidade pode ser intoxicante se você se torna um fundamentalista da realidade, mas a pura e simples recusa do amadurecimento em nome de viver num mundo de fantasias é uma das maiores catástrofes morais, cognitivas, políticas e econômicas que pode se abater sobre as pessoas. O enriquecimento que a sociedade de mercado produziu é bem responsável por esse processo: fantasias podem ser motivacionais de fato. Mas, se lembrarmos do que falei sobre o custo de menosprezar a realidade, podemos responder a essa pergunta com uma razoável segurança: assim como dinheiro não tolera desaforo, a realidade tampouco perdoa quem não a reconhecer quando ela aparecer diante dos seus olhos.

É dentro desse espírito de respeito e reverência à realidade que iremos cada vez mais fundo nela nesta nossa conversa.

Café da manhã sozinho ou acompanhado? Relacionamentos e afetos

Vamos começar a refletir sobre as "questões menores" às quais fiz referência. E permaneceremos com elas o resto de nosso percurso. De um capítulo a outro, sempre buscando um movimento de optar pelo empírico, pontual e concreto. Esse é um cotidiano histórico de verdade. E nessa dança, quase em espiral em direção ao fundo do poço, pode parecer que nos repetimos, mas não. Apenas revisitamos cada tema de forma mais atenta, assim como quem, ao longo da vida e do dia, revê os passos dados, os sucessos e os fracassos das próprias escolhas e decisões.

Uma das questões mais comuns no dia a dia é se devemos ter relacionamentos afetivos sólidos ou líquidos – como diz o sociólogo Zygmunt Bauman. Claro, todo mundo quase sempre responde: sólidos! Mas, na realidade, a coisa tem se complicado bastante.

A imagem de uma pessoa, de manhã, numa padaria descolada (em São Paulo, temos o hábito de tomar café da manhã em padaria, independentemente de sua classe social), num sábado, lendo calmamente, é aspiracional, como se diz em publicidade. Você pode estar acompanhado ou não. Se estiver, que seu parceiro ou parceira também esteja lendo algo significativo (se for em outra língua então...), com ar *blasé* de quem nunca entra num ambiente fazendo "*eye contact*". Aliás, jamais procure olhar para as pessoas à sua volta, isso produz uma sensação de que você é insuficiente e busca afeto. Sei. Não é minha intenção aqui dar conselhos de marketing de comportamento. Quero, pelo contrário, apontar um dos impasses cotidianos do nosso mundo contemporâneo. Se devemos projetar uma imagem de que somos autossuficientes, como não ficarmos sozinhos "no fim do dia"? Sei que alguém, ou um casal (se ela estiver com cabelo molhado então... um arraso!), numa padaria paulistana descolada num sábado de manhã, lendo algo casualmente, parece o topo do mundo em termos de "prosperidade total" na vida. Mas a vida se move em territórios que vão além da ideia de prosperidade. Quem nisso não crê é, na verdade, um grande pobre de espírito.

Um dos maiores problemas atuais é a vida pensada e vivida (pior ainda neste último caso) pelo prisma do marketing total. Somos seres muitos mais acanhados em nossa natureza do que a aberração feliz postada nas redes sociais (e na publicidade em geral). Suspeito mesmo que a própria ideia de felicidade se tornou uma variável patogênica em si. A busca da autossuficiência pode fazer de você muito mais alguém que acorda de manhã sem padaria e sem ler coisa nenhuma (quase ninguém lê coisa nenhuma, se você está lendo esse livro, já está fora da curva de normalidade). Leitura é um hábito anormal, se "normal" for ser igual à maioria. Além de acordar sem ninguém. Se quando jovem você está em alta no mercado dos afetos, com o passar dos anos você perde muito em competitividade. O provável destino, homem ou mulher, é as marcas da solidão e do abandono tomarem conta do seu rosto. A conclusão é você, desesperadamente, começar a ler livros de autoajuda. E que nenhum arrogante vá criticar você. A dor de ser irrelevante afetivamente para todo mundo merece a reverência trágica diante da desgraça.

A verdade é que o *Sapiens* sempre foi um animal de vínculos afetivos, o que não é a mesma coisa de vínculos afetivos felizes ou satisfatórios. Esse é o equívoco. Claro que buscamos afetos satisfatórios. Ninguém busca afetos tristes por si só. Mas, no momento em que confundimos a vida dos afetos com "uma vida feliz", tendemos para o álcool gel como paradigma da vida afetiva. Um afeto ou dói ou é falso. Lembre-se que a palavra latina *affectio*, em português, vira tanto "afeto" como "afecção", como em "afecção cardíaca", como em doença. E confundimos a ideia de que sofrer é ruim (o que é normal) com a ideia de que eliminar o sofrimento é "saudável". O resultado é que o amadurecimento, filho direto da dor, da frustração e da tristeza, desaparece.

Essa é uma equação que faz parte da carne do cotidiano, mas que tentamos tirar dele: não se amadurece sem infelicidade e fracasso. O fracasso, como já disse outras vezes, nos humaniza. A imbecilidade contemporânea é tal que não entendemos uma equação simples como essa: a felicidade nos brutaliza e destrói nossa capacidade cognitiva. Ao dizer isso, inteligentinhos da felicidade pensam que estou propondo o fracasso como fórmula. Quem vive no mundo *coaching* pensa assim. Não. Estou apenas descrevendo as coisas como elas são. Não há amadurecimento sem fracasso. Ao buscarmos eliminar sistematicamente o fracasso das coisas, criamos pessoas incapazes de se olhar no espelho sem Photoshop afetivo, o que significa a morte do afeto.

Buscar a felicidade como método de vida é a chave para um café da manhã solitário e horrível, mesmo que seja numa padaria paulistana descolada. A obsessão pela felicidade faz de você um chato. Como escapar dessa armadilha? Escolher o fracasso? Não precisa, ele te achará. Viver sem fórmulas é o desafio. Continue a ler o livro e poderá ter uma ideia do que é viver um cotidiano sem fórmulas.

5

Família, filhos e pais

Diretamente relacionado ao que vimos no capítulo anterior está o tema da família, filhos e pais.

É muito comum se dizer que a família faz falta, isso e aquilo. A verdade é que temos criticado sistematicamente a família há mais de 50 anos, e, por exemplo, políticos que falam em "valores familiares" são execrados como reacionários. A crítica mais comum é dizer que a "família patriarcal" é isso e aquilo. Universidade e mídia (aquela pior do que esta) têm produzido conteúdo sistemático contra o conceito de família, defendendo ideias idiotas como "é legal produção independente", quando qualquer um que não seja mentiroso sabe que filhos dão errado quando têm pai e mãe, quanto mais quando só tem mãe. Mas, os inteligentinhos e bonitinhos, inclusive nas novelas da TV, pregam a ideia de que pai é um objeto que, na maioria das vezes, mais atrapalha do que ajuda. E que sempre é dispensável. O único tipo de homem-pai que deve estar por perto, para esses inteligentinhos, é um homem-pai "suave", mais feminino do que a mais *sugar baby* das namoradas. A masculinidade suave contra a tóxica. Homens de saia e frouxos, eis o homem-pai que pode estar por perto. Claro que se você perguntar para um desses, frontalmente, ele vai dizer que não é "contra" a família. Ninguém é "contra" a família, mas a desconstrução psicossocial da família é um clichê no meio acadêmico (cheio de gente fracassada com a família) ou da mídia (mesma coisa).

A pergunta que não quer calar é (entre outras): seria uma habilidade específica de gente ignorante, reacionária, sem opção, de classe média baixa, ter uma família mais estável? O acesso à informação mais qualificada e a opções diversas de vida seria uma maldição "contra" a família? Estatisticamente, talvez, sim. No quadro da fertilidade feminina, quanto mais informação e opção, menos filhos. Mas menor quantidade de filhos implica famílias menos sólidas?

Temo que sim. Não pelos motivos antiemancipação feminina que os reacionários podem pensar. Em algum momento, seremos obrigados a refletir em que medida a noção própria de emancipação não é, de alguma forma, desagregadora do ponto de vista psicossocial, entre outros. Briga boa essa. Quem tem medo não entra nela. Como o medo não é parte da minha experiência profissional, voltaremos a ela em seguida.

Suspeito que um número menor de filhos implica menor solidez da família pelo simples fator quantitativo. Mais filhos, mais rolo, mais apoio, mais inventário, mais gente no Natal, mais parente, mais gente pra você odiar e falar mal (tudo isso se constitui na matéria-prima da vida real e seu cotidiano). Nada disso implica "felicidade" enquanto tal, mas implica presença de gente na sua vida e na sua morte. No nascimento de filhos e nos enterros. Acostumados nos últimos séculos a pensar trancados em escritórios ou em salas de aula sem consequências concretas no mundo, acabamos por esquecer que a solidez da vida não advém das ideias que temos sobre ela, mas dos atritos que temos com a realidade da própria vida. Esses atritos, gostosos ou não, geram a solidez. Ideias são líquidas por definição. Além de evidências como o fato de que quem cresce com suítes já tende a liquidez (perde a forma e o caráter) quando confrontado com uma partilha cotidiana de banheiros. Uma fila de banheiro de manhã torna a vida muito mais sólida do que uma defesa dessa solidez via artigos em revistas ou documentários feitos por mimados de todos os tipos.

Seria típico da estupidez e desinformação acreditar em "valores familiares"? Não creio. Mas o risco da relação se impõe. Falta de opção na vida é motivo pra permanecer em formas mais estabilizadas de relações afetivas. E conhecimento organizado e qualificado sempre corre o risco de desestabilizar o cotidiano. Ainda mais porque adquirir essa forma de conhecimento já implica você ter alguma soma em dinheiro maior do que a maioria.

O cotidiano, para além do que pensa nossa vã filosofia, se alimenta em muito da falta de opção de modos distintos de viver. E o mais incrível é que, muitas vezes, a capacidade de amar essa "falta de opção" pode se constituir num dos modos de repouso e ausência de ansiedade mais poderosos que se conhece na vida.

E os pais? Categoria em extinção? Minha experiência profissional cotidiana (como professor por mais de 20 anos que, muitas vezes, atende pais) mostra que quando temos filhos problemáticos, a chance de os pais parecerem piores é grande, ainda que não na totalidade da amostragem. Medrosos, cheios de projeções sobre os poucos filhos que são capazes de ter, muitas vezes querem ser mais jovens do que os próprios filhos. A busca da felicidade por parte dos pais, seguramente, é causa de sofrimento dos filhos. A questão é que não se trata de valorizar a infelicidade como fundamento dos tais "valores familiares", mas sim de perceber que a fluidez dos vínculos, quando submetidos ao teste do sucesso, facilmente se transforma em ácido no cotidiano desses mesmos vínculos.

Não há dúvida de que as relações instrumentais impostas pela sociedade de mercado têm um efeito ácido e são, elas mesmas, causas das demais formas de acidez dissolutiva dos investimentos afetivos. Aprendemos que, muitas vezes, serviços podem ser mais efetivos que os vínculos, inclusive porque você pode suspendê-los (ou aumentá-los e sofisticá-los) com um toque mágico do cartão de crédito.

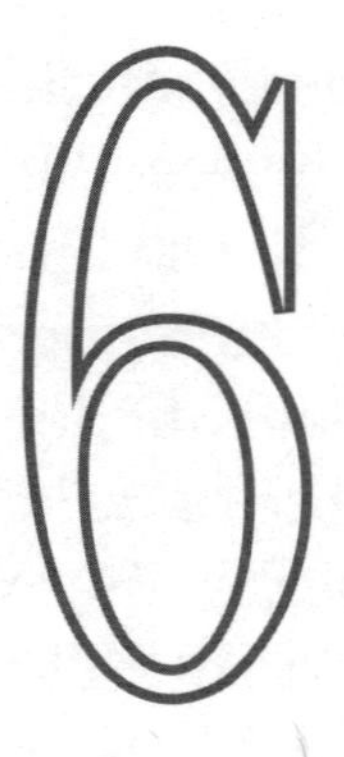

Envelhecimento e solidão

Eis um tema que vale algumas poucas palavras. Todos devem se preparar para viver mais, o que, na imensa maioria dos casos, lhes parece uma boa ideia. A longevidade, fruto direto dos avanços da medicina, por sua vez, fruto dos ganhos da indústria farmacêutica (ainda que as pessoas, de barriga cheia, falem mal dela) e dos avanços das políticas públicas de saneamento básico e das vacinações em massa (ainda que alguns riquinhos de classe média alta agora queiram condenar seus filhos à não vacinação em nome de suas taras metafísicas), é irmã dos avanços sociais que levaram à epidemia de solidão que acompanhará o envelhecimento de agora em diante. Um cotidiano de pessoas longevas e solitárias. Não se trata de maldição, mas de estatística.

Nem se imagina, muitas vezes, que avanços impliquem dramas que antes eram inexistentes. Você resolve um drama e cria outro decorrente da solução (isso é dialético: para cada solução, um problema novo). Sei que essa última afirmação parece uma platitude (obviedade), mas não é, principalmente se você está acostumado a ouvir palestrantes do mundo corporativo. Em grande parte do que é oferecido a esse mundo, a falta de percepção dialética (ou do contraditório) é mais gritante do que no final dos contos de fadas infantis. O que já indica certo retardo mental endêmico na população. Se a obsessão pelo pessimismo leva à melancolia e à paralisação diante da vida, a obsessão pelo otimismo leva ao aprofundamento do retardamento mental perene.

Fala-se em envelhecimento ativo. Considero uma boa proposta para quem deverá experimentar um cotidiano estendido. Envelhecimento ativo significa busca de autonomia prática, psicológica e social no cotidiano, derivado da extensão do usufruto dos órgãos vitais – mais saúde. Não existirão mais "vovós" – todas as mulheres de 70 anos ou não terão filhos ou estarão gozando nalgum resort e não se preocupando com crianças. Os homens tampouco terão filhos ou se preocuparão com os netos por conta da sua atávica obsessão por mulheres mais jovens. Para aqueles que tiverem constituído uma razoável condição material de vida, o cotidiano será uma obsessão por "distração" – tema já apontado por autores como Pascal, no século XVII, e Kierkegaard, no XIX. Ambos os filósofos são os ancestrais do que no século XX ficou conhecido como a filosofia existencialista, tendo em Sartre seu grande expoente. O importante é notar que os dois filósofos citados perceberam que existir tornar-se-ia um problema em si. O que isso significa?

Significa que a vida não seria mais tão breve (ainda que naquele momento estivessem longe do nosso momento histórico, mas bons filósofos são assim, veem mais longe do que vemos em nosso cotidiano sufocado pela banalidade e pela sobrevivência), que haveria muito mais espaço para o lazer (Pascal mesmo chega a afirmar isso sobre o futuro do tempo em que ele vivia), que começaríamos a pensar a vida como uma "escolha". A aterradora melhoria das condições materiais de vida trazida pela modernização criou as condições da possibilidade de pensar a vida como liberdade e escolha, e então como existência a ser construída para além dos determinismos imediatos (pobreza, gravidez, morrer na guerra, doenças, enfim). Na hora em que se abriu essa possibilidade, experimentamos aquilo que Pascal chamava de tédio e angústia e que Kierkegaard chamava de angústia e desespero.

O envelhecimento deve ser pensado nesta chave: uma extensão da condenação à liberdade (como dizia Sartre) ou à existência (como dizia Kierkegaard). Para além dos cuidados com o corpo (prática esta, agora, já iniciada na infância, na forma de paranoia ativa), o envelhecimento como atividade é, basicamente, o envelhecimento como ampliação das escolhas, principalmente, num universo social em que a queda irreversível dos nascimentos implica solidão social crescente. A única forma que colocaria as mulheres de volta na rota da maternidade seria a destruição da riqueza instalada, o que levaria, também, à destruição da longevidade. Logo, longevidade e solidão social são pontas da mesma equação social e histórica da modernidade. Vivia-se menos, mas ocupava-se mais com as demandas imediatas da vida. No caso específico das mulheres, cuidar das mais jovens dando à luz já ocupava em muito o cotidiano das mulheres mais velhas. Os idosos de 120 anos, profetizados pelos otimistas, deverão ser adolescentes mentais, com profundo mal-estar em relação ao amadurecimento, visto como uma negação do seu direito de escolher tudo. Mas, como a própria filosofia existencialista sabe, a possibilidade de termos a existência como liberdade seria o terreno ideal para o tédio. A indústria do tédio dominará o mercado de serviços nessa sociedade envelhecida. Uma questão dominará o universo filosófico: como desistir da vida?

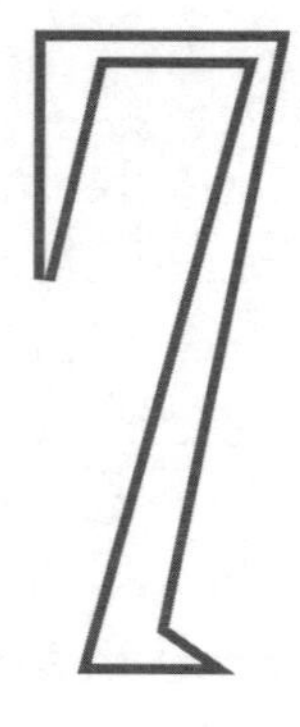

Educação dos filhos: por que os jovens estão cada vez mais infelizes?

Uma das áreas em que mais estamos mexendo é na educação dos filhos. O resultado não tem se mostrado muito positivo se levarmos em consideração muitas das pesquisas de comportamento dos mais jovens. O que dizem essas pesquisas?

Jovens nascidos a partir de 1995 parecem mais ansiosos, infelizes, inseguros, reclusos e menos ativos. A sensação de insegurança recobre áreas como expectativa de trabalho, independência financeira, criação de futuras famílias, ter filhos, sexo, enfim, muitos dos conhecidos marcadores de amadurecimento. Os quatro marcadores de amadurecimento mais importantes são: morar sozinho, autonomia financeira, manutenção de relacionamento afetivo que passe de um ano e ter filhos. Os mais jovens pontuam negativamente em todos eles. Se aumentarmos a faixa etária, até os nascidos no início dos anos 1990, não muda muito.

A área da educação dos mais jovens (incluindo pais e escolas) é uma das mais atingidas pelo marketing de comportamento. Você não sabe o que é marketing de comportamento? Marketing de comportamento é uma tendência avassaladora de, ao invés de encarar como as pessoas se comportam de fato (no caso, os mais jovens), projetar sobre essas pessoas os tipos de comportamento considerados positivos. A vocação do mundo contemporâneo ao *fake* já vem de longa data, muito antes das *fake news*.

Mas, ao invés de os mais jovens estarem mais "evoluídos", eles estão é mais incapazes. Estressados com tudo, sentem medo de quase tudo. Sim, as pesquisas mostram maior tolerância com a diversidade sexual, mas essa maior tolerância vem acompanhada de uma dificuldade atroz de saber qual é sua própria identidade sexual (principalmente nas meninas). Vítimas dos efeitos colaterais da destruição da imagem masculina, os meninos atrofiam sua atitude sexual diante das meninas, e estas se tornam cada vez mais agressivas, à medida que se tornam infelizes e inseguras. A estupidez com a qual muitas escolas abraçam a causa da destruição da identidade sexual clássica, ancoradas na experiência evolucionária, assusta almas mais prudentes na lida com os mais jovens.

Os pais, por sua vez, perdidos em suas vidas e em seus projetos de felicidade, esmagados pela competição crescente, veem os filhos como projetos narcísicos de seus fracassos negados no silêncio da noite solitária. Os pais de "outrora", esmagados pela sobrevivência precária, lidando com muitos filhos, não tinham tempo pra projeções narcísicas, pois isso era coisa de rico. As escolas, um dos negócios mais submetidos ao marketing de comportamento entre todos os outros, mais até mesmo do que o mundo corporativo, psicologizam tudo, transformando a formação num gradiente que visa à produção de autoestima, aniquilando toda capacidade de consistência nos seus alunos. A pressão sobre as escolas para que entreguem aos pais os filhos das suas projeções narcísicas impede que qualquer trabalho mais consistente acerca do medo da vida que assombra esses jovens seja trazido à luz. O resultado é uma epidemia de inconsistência crescente. Obcecados com a "perfeição" ética e afetiva dos filhos e alunos, as instâncias formadoras, pais e escolas, capitulam diante de uma função que começou a ser realizada no Alto Paleolítico. E com razoável sucesso, senão não estaríamos aqui. Apesar das necessárias críticas aos excessos de disciplina aplicada aos mais jovens ao longo dos séculos, de certa forma me parece que as coisas têm piorado bastante, na medida em que as ilusões (fruto do marketing de comportamento citado anteriormente) do que seriam os mais jovens tomam o lugar desses amedrontados seres humanos. Se o projeto de um mundo melhor tem causado danos, é sobre a educação, e sua transformação em subdisciplina do marketing, que esse dano é visto de forma mais evidente.

A riqueza instalada não ajuda, produzindo uma sensação de que a vida seja um parque temático de desejos realizados, quando um dos dados mais chocantes é, exatamente, a redução da capacidade de desejar qualquer coisa de fato. E por quê? Porque "todo desejo é triste", como dizia de modo hiperbólico Nelson Rodrigues. Quem tem medo de sofrer é incapaz de desejar.

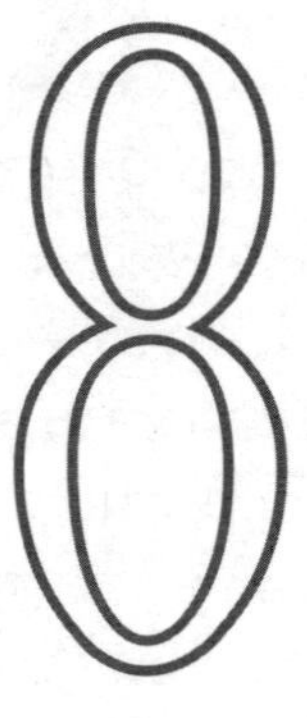

A perda do tesão

Nietzsche é conhecido como o filósofo do Eros (além de ser o filósofo do niilismo). A melhor tradução do conceito de Eros para o português é a palavra do senso comum "tesão". Suspeito (e não é apenas suspeita, se levarmos em conta as pesquisas que mencionei anteriormente sobre os jovens hoje) que o processo de perda do tesão seja epidêmico. De onde viria esse cotidiano sem tesão?

"Tesão" significa aquele tipo de vínculo com as coisas em que estas aparecem sob o signo do prazer e do desejo. É um motor, como "*Eros*" em grego. A vida brilha sob *Eros*. E, sejam coisas, sejam pessoas, sejam ideias, elas passam a nos atrair.

Um cotidiano cheio de tesão não é apenas um cotidiano em que você tem uma colega de trabalho deliciosa que encanta as reuniões quando toma a palavra. Mas, vale lembrar, para a maioria dos homens, mulheres bonitas à volta fazem o mundo brilhar e impulsionam sair da cama de manhã. Um cotidiano cheio de tesão é um cotidiano em que as coisas, as tarefas, as pessoas, se tornam leves pelo sentido estético (em filosofia isso quer dizer "sensorial") que esse cotidiano atinge. As sensações causadas pela "beleza das coisas" inundam as tarefas e as dificuldades, proporcionando às pessoas que assim sentem a experiência inefável do sentido da vida. Essa era a ideia de Nietzsche. Porém, foi ele também que iluminou o vínculo essencial entre essa experiência e a coragem. Não há tesão sem a superação ou convívio com o medo de modo "produtivo" e consistente. O que é isso? Por um lado, é enfrentar o cotidiano sem o projeto de higienizar a vida dos riscos associados ao gozo dela, por outro, vencendo a paralisia que o medo traz quando se torna a conjuntura na qual o cotidiano acontece. Dito de forma direta: sem vencer o medo você nunca terá tesão pela vida porque ela é perigosa e cheia de riscos.

As suspeitas com relação à diminuição do tesão na vida moderna são um clássico, ainda que nos últimos tempos a tagarelice sobre os "direitos do desejo" nos confunda, como se o desejo pudesse ser um "objeto" de direitos. Não seria da natureza do desejo crescer quando proibido? Não aprendemos nada sobre como o pecado vale uma minissaia e uma boca vermelha?

A submissão da vida ao utilitarismo da *ratio* burguesa, baseada na eficácia e na produtividade, já implica, nalguma medida, a eliminação do tesão, se não associado à produtividade material em si mesma. Por isso, a sociedade de mercado tende a se tornar uma sociedade do gozo do dinheiro e do sucesso material acima de tudo. Mas, para além disso, o processo racionalista da vida tende a higienizar qualquer forma de tesão que não seja associado à produção organizada de bens ou valor agregado. É interessante observar como os discursos dos *millenials* (jovens nascidos entre o fim dos anos 1980 e início dos 1990) em reunião de trabalho se movimentam como se a palavra "projeto" fosse uma mulher de minissaia e boca vermelha.

Dito de forma direta: para ser produtivo, há que brochar numa série de coisas que não tragam valor agregado ao mundo material. Você facilmente chegará a uma vida sem tesão quando crer firmemente que o cotidiano pode ser objeto de uma tabela de Excel, cujo objetivo é a prosperidade em níveis ontológicos (ou seja, totais). Tudo deve ser produtivo e organizado: o amor, as férias, os filhos, as doenças, o ódio deve ser canalizado para algo construtivo, a violência deve ser travestida de criatividade fora da caixa.

Você acorda e tudo que vê pela frente deve ser dissociado do erro, da insegurança, da dúvida. O cotidiano deve ser cristalino como a vida afetiva de um algoritmo.

Sendo o tesão um afeto, fica difícil conhecê-lo quando a suspeita recai exatamente sobre os afetos. O mundo contemporâneo desconhece o afeto porque o vê como recurso produtivo ou como inimigo do bem social. A rigor, não há como ter tesão sem ser mau. Nietzsche percebeu isso muito bem, por isso muitos o entendem como um estetizador da violência ou um niilista. Passo a passo, a vida se torna limpa como uma comida balanceada que mata pelo conteúdo de saúde que ela promete.

Por outro lado, o medo como conjuntura do cotidiano revela aquilo que Freud identificou como sendo o vínculo profundo entre o acúmulo de informação e de dados e a paranoia. Num mundo em rede, que faz circular informações e dados sobre tudo, a solução é temer tudo. A paranoia, ainda que travestida em apólices de seguro cada vez mais totais, reina livre sobre as coisas, as pessoas e as ideias.

Podemos, enfim, supor que o tesão morre quando limpamos o cotidiano de ruídos, riscos e desperdícios. A paranoia é o retorno da realidade contida na tentativa de limpeza total da vida. Impossível desvincular a paranoia da sociedade em rede.

Nada contra a informação e as redes. O desafio é conviver com elas e desprezá-las no nível da elegância que sempre caracterizou o desprezo como forma estética de vínculo social.

Ser rico ou ser lixo

Nunca o capitalismo foi mais absoluto, mesmo entre aqueles que pensam combatê-lo. Nesse cenário, o cotidiano corre o risco de se transformar numa experiência esmagadora de "ser lixo". O que vem a ser essa experiência?

O filósofo romeno Emil Cioran dizia que só valia a pena conversar com os *ratés*, que em francês significa "fracassados". Para ele, o fracassado representava o lugar onde a ordem do mundo falha, trazendo a vergonha desse mundo à superfície. Nunca houve um mundo menos livre do que o que vivemos, porque o imperativo do sucesso é o futuro de tudo que respira.

Os projetos de avanço se transformam em projetos de ordenamento totalitário. A forma mais evidente desse ordenamento é a ideia de riqueza. Mesmo se você for pobre, deve ser rico em algo, pelo menos, em espíritos ou fantasias. Quando a busca pelo aperfeiçoamento se torna o horizonte justificado, da religião aos assassinos, a única possibilidade é temer ser o lixo do mundo. Esse lixo é a consequência necessária do projeto de aperfeiçoamento, porque ninguém nunca vence a batalha. E como o nível de cobrança é cada vez mais alto, é impossível não falhar. O resultado é que a vida cotidiana está sempre ameaçada, e essa ameaça endurece a alma. E aí chegamos à forma mais cruel de demanda de riqueza: seja rico "espiritualmente", rico "em valores", rico em "bens éticos".

A degeneração causada pelo imperativo da riqueza material não chega aos pés da degeneração causada pelo imperativo da riqueza "espiritual". Ser rico de "bens éticos" é a melhor forma de produzir um cotidiano desumano, porque o *Sapiens* é um animal que só se desenvolve quando encontra sua sombra. A decisão política e social de construir um mundo de pessoas boas e justas garantirá o maior acúmulo de lixo humano já visto na história.

Ser bonita ou ser lixo

Antes de tudo, algum leitor desavisado pode me perguntar a razão de eu colocar o título no gênero feminino. A primeira resposta é: porque eu escrevo como quero e não me importa o que os leitores pensam. Outra resposta possível é porque, como o livro é meu, eu escrevo como eu quero. Mais uma resposta possível é porque para mim as mulheres são o objeto maior da beleza. Repito: objeto. Uma mulher que nunca se sentiu objeto de alguém nunca gozou tudo que podia gozar. Seja na cama, seja dobrada sobre uma mesa, seja nas horas que se seguem ao longo do dia.

Aliás, mais uma resposta possível é: por que não poderia usar o feminino como representante do universal?

Mas de onde vem essa terrível noção de que ou você é bonita ou é um lixo? A primeira resposta possível é por conta da escravidão da beleza que as mulheres vivem. Mas não é isso que tenho em mente aqui. Há um imperativo de beleza pior: ser bonita por dentro.

Todo mundo que já se dedicou minimamente à beleza como gesto, exterior ou interior, sabe que há um quê de incontrolável nisso. Você até pode fazer cursos de como ter gestos belos em público, mas esses cursos, muito provavelmente, levarão você, no máximo, aos gestos exteriores, e não interiores. O mundo interior é dos mais difíceis de ser "ensinado". Olhe os esforços da educação durante séculos...

Por isso, seguramente, você será um lixo se entrar na onda de ter um cotidiano "belo". Um cotidiano belo é a meta mais provável para você se sentir uma incapaz, uma fracassada, uma Maria feia ou um João ninguém.

Temo que sobre as mulheres "contemporâneas" cai a maldição maior nesse aspecto: devem ser lindas, bem-sucedidas, assertivas, equilibradas, gozar mais do que as avós gozavam, ter os filhos mais lindos e perfeitos desde o Paleolítico, enfim, cheias de beleza interior. No fim do dia, se sentirão lixo puro, derrotadas pela evidente impossibilidade de vencer tantas frentes. Um tarja preta será a única possibilidade para esquecer o seu fracasso em atingir a beleza interior buscada.

11

A miséria da emancipação

Talvez não tenha tema que mais nos ocupe no dia a dia do que a concretização da emancipação moderna. Essa concretização tem várias frentes e vamos ver algumas delas aqui – o caso da mulher é específico e vamos vê-lo no capítulo seguinte.

Primeiro vale esclarecer que a ideia de emancipação na filosofia tem seu nascimento na obra de Kant, no século XVIII. Para o filósofo alemão, emancipação é colocarmos o desejo sob a tutela interior da razão. Ao invés de agirmos como os pré-modernos, que dependiam, supõe nosso Kant, de contenção externa para a conduta moral, nós modernos nos emanciparíamos dessa tutela exterior, trocando-a pela razão moral interna. Esse processo é a emancipação. Indivíduos autônomos, operando nos limites da razão prática.

Dito de forma direta: alguém que pensa antes de fazer as coisas e que não precisa, pelo menos o tempo todo, que alguém ou algo diga a ele como se comportar. É daí que nasce a ideia de "maioridade kantiana": o cidadão racional que age livremente nos limites da razão.

Mas como isso se concretiza no cotidiano? Falar é fácil. Primeiro, qual a fronteira entre agir de modo racional e agir de modo "emocional" ou irracional? Você corre o risco de ficar obsessivo se for fazer essa contabilidade todo dia. Kant não pensava numa coisa psicológica como essa, inclusive porque não existia em sua época essa coisa psicológica, pensava no seu imperativo categórico: aja de modo tal que seu ato possa ser erigido em norma universal de comportamento. Logo, pensava em autorregulação racional do comportamento. Ter juízo, na linguagem comum. Você deve se perguntar o seguinte: o que você faz, todos poderiam fazer sem criar problemas para os outros?

A ideia é boa, sem dúvida, tanto que marcou profundamente o mundo moderno. Mas, na prática, o que significa ser emancipado na vida cotidiana?

Se seguirmos o raciocínio até aqui, significa ser responsável pelo que se faz e levar em conta as outras pessoas quando agimos, basicamente. Não se deixar levar por impulsos. Ser gente grande. Pagar suas próprias contas, não terceirizar os problemas da sua vida, sem exageros kantianos do tipo "diga sempre a verdade".

A verdade é que a vida não cabe na fórmula kantiana, e, quando cabe, algo dela se perdeu. Sei, você vai me acusar de romântico. Sou mesmo, mas não por isso. Os exemplos abundam de como nos afogamos na emancipação, porque ela é muito mais do que uma fórmula filosófica. Ela significa ganhar a vida num mercado cada vez mais competitivo, ser capaz de estabelecer família, afetos, amizades, educar filhos num mundo avassaladoramente em mutação, no qual ninguém mais sabe ao certo pra onde estamos indo, e manter uma razoável saúde mental.

Todas as modas espirituais e psicofarmacêuticas, os índices de suicídio entre jovens, os horrores nas mídias sociais, a humilhante imbecilidade que delas brota não parecem mostrar que a emancipação seja algo tão simples. Vejamos um exemplo pontual que expõe as misérias que a emancipação aponta – em nada com isso quero propor um "retorno" ao passado, porque, além da ideia ser idiota em si, não se volta para coisa alguma na história.

Uma grande pesquisa realizada nos EUA, acompanhando marcadores como fertilidade feminina (que significa aqui decisão por ter filhos e não um dado biológico em si), formação acadêmica, ganhos financeiros, educação formal dos filhos, mostrou uma diferença marcante entre mulheres e homens nas costas e na América profunda. Essa pesquisa servirá de exemplo de como a emancipação se constitui numa rede de consequências cotidianas práticas para além da discussão dela ser desejável ou não – discussão que escapa da nossa livre decisão racional porque somos "condenados à emancipação".

Enquanto nas costas, as americanas têm filhos mais tarde (em média aos 31 anos), na América profunda elas têm filhos mais cedo (21 anos) – arredondando os dados. Nas costas, os casais ganham mais dinheiro e têm um filho (bem neurótico com as projeções narcísicas dos pais). Este fará aulas de violino e irá para escolas e universidade caras. Os pais terão sucesso financeiro, e muitos terão babás e faxineiras. Na América profunda, não fazem universidade e têm mais filhos (não são neuróticos, mas as meninas podem ficar grávidas aos 17 anos), ganham menos dinheiro e nada de aulas de violino. Nas costas, as mulheres dependem fortemente dos maridos no cuidado com o filho – ou terceirizam esse cuidado. Não existem avós ou tias. Na América profunda, as mulheres têm uma rede de solidariedade de amigas, avós e irmãs. Nas costas, os ditos valores familiares, como perenidade dos casamentos, almoços de domingo, respeito aos mais velhos, higiene pessoal, crenças religiosas e afins, se dissolvem nas conquistas materiais e intelectuais (além das aulas de violino). Na América profunda, os valores familiares são mais sólidos e perenes. Nas costas, quase tudo é líquido, menos dinheiro e sucesso. Na América profunda, quase tudo é sólido, inclusive os modos repetitivos de se viver há décadas.

Não se trata de defender as costas ou a América profunda. Mas de perceber que o caráter líquido da vida, seu sentimento de abismo e vazio cotidianos, vem junto com a emancipação. Aparentemente, na América profunda, a falta de opção material produz a permanência da vida como ela sempre foi. Mulheres cuidam de crianças, homens trazem a caça. Alguém pode ter a sensação de que isso é perenidade, mas pode ser simples falta de opção. Nas costas, todos são autônomos e emancipados, e se afogam na ausência de vínculos. No seu lugar, contratam serviços. Na América profunda, ninguém é autônomo, todos são mais pobres, mas têm longos almoços de família com mais frequência.

Assim sendo, a miséria da emancipação é ter descoberto que serviços podem resolver as coisas mais facilmente do que vínculos familiares. Isso pode ser descolado e chique, mas continua sendo solitário e miserável, de alguma forma.

A miséria do empoderamento feminino

É uma delícia almoçar com colegas de trabalho mulheres. Ouvir as risadas delas, observar suas pernas e seus saltos. Não sou contra a emancipação feminina. Só loucos são. As mulheres encantam o mundo do trabalho e são competentes como qualquer homem. Às vezes mais. Confio mais em mulheres trabalhando diretamente comigo do que a maioria dos caras.

Não vou falar de feminismo tampouco. Feministas nada entendem de mulher. Minha questão aqui é derivada do capítulo anterior (tenha ele em mente quando ler este): as consequências duras da emancipação. No caso das mulheres, essa dureza aparece em várias frentes no cotidiano de suas vidas (e de novo, se algum inteligentinho comprou este livro: não acho que as mulheres devem voltar para o fogão, não acho que as mulheres devem nada...).

Dúvidas com relação à gravidez. Pesquisas mostram que as meninas sofrem muito entre 25 e 35 anos, com medo de perder o *timing* da gravidez e maternidade. Os homens não têm esse problema. O sentimento de que devem ser boas na cama, na cozinha, no escritório, no cabeleireiro, na academia, na universidade, e, depois disso, não ter nenhuma dúvida sobre a própria condição de mulher moderna é difícil.

Por outro lado, se uma mulher quiser voltar no tempo e encontrar um marido *old school*, provavelmente, terá que buscar um homem casado mais velho, e, quem sabe, destruir o lar de alguém. Os homens mais jovens são de dar dó, segundo o que elas mesmas falam – veremos a miséria masculina na sequência. Eles não sabem "o que fazer" com uma mulher.

As meninas mais jovens se atolam nas angústias identitárias, muitas vezes cacifadas pela própria psicologia e educação. Muitas raivosas e ressentidas, têm dificuldade de escapar da maldição fálica. E gemem por um namorado legal.

A acomodação às novas demandas faz, às vezes, parecer que a vida era mais fácil antes do empoderamento. Provavelmente não. Não me parece fácil viver sob a tutela de alguém a maior parte do tempo. Empoderamento e emancipação são da mesma família da solidão. A autonomia da qual falava Kant, e que vimos no capítulo anterior, implica uma condição de distanciamento dos constrangimentos exteriores e foco nos processos decisórios interiores. A verdade é que a emancipação carrega os tons na superação de vínculos de dependência. Mas em que medida é possível se ter vínculos sem dependência de alguma forma? Não estaria a consistência última da emancipação alocada numa experiência de solidão? Afinal, por que o Reino Unido quer criar um Ministério da Solidão se não houvesse mercado pra isso? Por que os serviços cada vez mais focam em pessoas sozinhas?

Sei, isso não afeta apenas as mulheres. Quem disse que sim? Tudo que afeta mulheres afeta homens, só quem está excessivamente afogado na ilusão da beleza absoluta da emancipação pode crer no contrário. Almoçar sozinho num restaurante descolado no sábado pode parecer símbolo de autonomia, mas pode ser, também, simplesmente falta de opção.

13

A miséria masculina

O cotidiano dos homens em relação às mulheres também alimenta um grau razoável de miséria. Se uma face significativa do cotidiano da miséria da emancipação feminina é a solidão associada à independência, a do homem habita a insegurança e a covardia, frutos dos novos papéis e do sucesso das mulheres no mundo do trabalho.

Claro que os homens mais seguros têm aproveitado da emancipação pra dividir custos de motéis, hotéis, jantares e viagens com suas colegas de trabalho de sucesso. O sexo no meio do expediente é um dos melhores do mundo, apesar da histeria acerca do assédio. Quanto mais mulher no mundo do trabalho, mais haverá sexo no meio do expediente e mais histeria sobre assédio.

Mas, quanto mais jovem o homem hoje, mais miserável. Sem atitude ou pegada, sem coragem de partir pra cima da mulher, amedrontado com a histeria contra o desejo sexual que assola o mundo heterossexual, muitos jovens mal conseguem dirigir a palavra a uma mulher pronta pra realizar seu desejo de mulher. A desarticulação que a emancipação feminina gerou no mundo do desejo heterossexual acentuou a já atávica insegurança que os homens sempre tiveram em relação à mulher. Se o medo de brochar se resolveu com uma passada na farmácia, o medo de bancar o desejo de uma mulher independente se tornou um verdadeiro pesadelo na vida de muitos homens. Se ele for menos bem-sucedido do que ela então...

Por isso, cursos dados a mulheres em busca de relacionamento ensinam que elas não devem falar de trabalho num primeiro encontro. Ao primeiro sinal de maior sucesso dela, o cara poderá fugir. Isso não significa que ele seja um idiota *a priori* (apesar de eu suspeitar que seja), mas sim que ele é um sujeito de sua época histórica.

A ideia de que as mulheres são sempre umas insatisfeitas era compensada pela "segurança" social da dependência material e psicológica feminina. Superada essa dependência (pelo menos a financeira), a falsa segurança (que, na realidade, era mais falta de opção por parte dela mulher pré-emancipação) se torna um pânico contínuo de que ela será uma eterna insatisfeita. Uma mulher "segura" ainda seria mais insatisfeita, porque ela não poderia culpar mais o marido ou a falta de autonomia financeira como responsáveis por sua insatisfação. Nem Deus preencheria seu tédio eterno.

Não acho que a atávica suspeita de que o desejo da mulher seja impossível de ser preenchido (daí o tédio feminino ser um clássico) seja uma simples besteira. Mas, sem dúvida, a emancipação feminina piorou as coisas nesse sentido.

O mundo contemporâneo é hostil ao amor, prefere investimentos mais seguros. As pessoas tendem a investir em si mesmas. A mesma solidão que acompanha a emancipação feminina dorme nas camas vazias dos homens perdidos entre seus "novos" suspeitos papéis e a capacidade de as meninas dizerem "não" com mais facilidade. O costume feminino de esperar que os homens adivinhem o que elas querem hoje se tornou ainda mais ameaçador.

A miséria do "desapego" e da "gratidão" como moda

Todos buscam o desapego hoje em dia. As redes sociais estão cheias de frases feitas sobre desapego. Desapego combate o colesterol, ajuda a emagrecer, eleva o espírito – ainda que você pague em 10 x no cartão a viagem para o lugar em que você desapegará.

Em se tratando das redes sociais, não há lugar pior para se buscar o desapego: as redes são o espaço por excelência do apego compulsivo presente na economia dos *likes*. O tema do desapego é, sim, um clássico na filosofia e na espiritualidade. E, sim, é uma coisa séria. E, sim, faz bem ao cotidiano de uma pessoa buscar formas de desapego. A questão é: desapegar do que e como?

Na tradição filosófica grega e romana antiga, o desapego era visto como uma ética sábia. O centro da ideia era que apegar-se ao mundo era uma forma de autoengano, já que o mundo sempre mente. Um circo de vaidades sempre. Por isso, os estoicos buscavam se apartar das demandas do mundo e viver próximos à natureza. Já as religiões, passando pelo cristianismo e budismo (duas famosas por pregarem o desapego), sempre centraram o desapego, antes de tudo, no desapego aos bens materiais e à vaidade.

Seja na filosofia, seja nas religiões, a relação entre desapego material e psicológico ou espiritual sempre foi uma constante. No caso das religiões citadas, o desapego no âmbito psicológico ou espiritual chegava à busca do desapegar-se de si mesmo, quase como um esvaziamento profundo do eu ou da alma. A mística nessas religiões está cheia de referências ao desapego de si mesmo, da vontade, do pensamento, das intenções, além do desapego material. Aliás, este é apenas um passo na direção daquele.

O cotidiano contemporâneo está muito distante desses dois marcadores filosóficos e espirituais do desapego. Vivemos na direção contrária desse movimento: somos escravos do sucesso, da aquisição de bens materiais e da obsessão por nós mesmos. Nada mais distante do desapego do que uma casa cara numa cidade descolada ou a ideia de que devemos desapegar para emagrecer ou ser mais "donos de si mesmos". Falar em desapego nesse universo é típico de quem vive um cotidiano inconsistente, tomado pela espiritualidade *Instagram-worthy*. Eis a miséria do desapego.

A miséria da "gratidão" não está muito distante. O vínculo entre gratidão e dormir melhor já trai o ridículo, como muitos *posts* no Facebook afirmam. Afora o fato de que muitas pessoas usam a expressão "gratidão" no seu cotidiano no lugar de "obrigado" ou "obrigada" porque essas expressões carregam em si o duplo significado de "ser obrigado a alguma coisa". Pode uma coisa ridícula como essa?

Pensar antes de dormir em algo pra ser grato porque isso ajuda você a dormir melhor é tão ridículo quanto desapegar na *business class*. Gratidão verdadeira só existe quando você sabe que recebeu algo de graça. Que não fez por merecer. E se você lembrar que tudo sempre pode dar errado na vida e que você não é o senhor da contingência que reina no universo, a própria existência lhe parecerá uma graça.

Nesse sentido, você deveria perceber que existir no seu cotidiano já está, de alguma forma, permeado pela graça. Dizer "gratidão" pra se sentir bem é apenas mais um dos vícios do pecado contemporâneo por excelência: o narcisismo. Dizer "gratidão" a sério é uma forma de humildade e reverência. Desapego e gratidão são duas virtudes gêmeas. Ambas falam de um cotidiano mais leve, o oposto do peso de uma vida pautada pelo amor de si mesmo.

15

A busca de sentido no trabalho

Há muito se fala que os *millenials* buscam sentido no trabalho, e não apenas dinheiro. Concordo com eles, apesar de que, evidentemente, buscar sentido no trabalho seja uma busca por um artigo de luxo. Mas esse detalhe não faz a busca menos significativa. Se pensarmos em termos da maioria da população, essa busca quase não tem nenhum sentido.

O *Sapiens* se alimenta de sentido assim como se alimenta de água e comida, ainda que estas sejam imediatamente mais importantes. Mas, ainda assim, encontrar sentido no que se faz é essencial.

Durantes milênios o *Sapiens* encontrou sentido numa série de atividades de sobrevivência e cotidiano. Sim: encontrar sentido é um ato material. Isso significa que ainda que "sentido" seja uma ideia abstrata ou uma sensação específica e pontual, ele está intimamente ligado à dimensão material da vida. Mesmo que seja no âmbito da atividade criativa, sem a contrapartida da matéria concreta, essa atividade se perderá (lembremos que arte e literatura são atividades também materiais).

Além de material, o sentido não é algo que você encontra assim como quem escolhe uma marca de desodorante – ainda que o marketing existencial barato diga que sim, você encontra sentido como quem escolhe um desodorante. Encontrar sentido nas coisas parece um pouco com a "irracionalidade" do apaixonar-se: você não se apaixona por quem você "quer". A paixão parece escapar da vontade livre e racional, daí parte do sofrimento que existe na paixão.

Na guerra, na caça, na comida, na cria, no ordenamento do bem e do mal, nas crenças, nos medos da morte e afins, o *Sapiens* sempre encontrou sentido. Mas a vida nunca foi uma experiência quase unicamente da ordem produtiva como é hoje. Mesmo que haja outras atividades na vida, a dimensão econômica foi claramente alçada ao grau de dimensão maior da vida. A racionalidade do trabalho e da produção engoliu a vida como um todo.

Daí que o trabalho, que antes era parte de uma vida essencialmente pobre, tornou-se a mola mestra e a atividade mais presente no cotidiano de uma vida que se tornou potencialmente menos pobre ou mais rica. Passamos a maior parte de nosso tempo trabalhando, é normal que o trabalho tenha se tornado um foco de busca de significado.

Alguém pode dizer que ganhar dinheiro e ficar rico seja o significado em si do trabalho. Isso é parte da verdade, mas não toda. Não é por acaso que pessoas de sucesso costumam dizer que trabalham por prazer, e que o prazer que encontram no trabalho é a causa essencial do sucesso que atingiram na vida profissional. Pessoalmente, experimento a mesma coisa. O dinheiro segue o gozo, muitas vezes. Por isso, encontrar no trabalho um sentido maior do que o dinheiro que se ganha é uma causa segura de que esse dinheiro "busque você". Por isso, concordo com os *millenials* nesse assunto. Mesmo que seja um artigo de luxo, encontrar sentido no cotidiano profissional pode ser aquilo que salvará sua vida. Ainda que, de certa forma, a maior parte das vidas acabem se perdendo na falta de sentido mesmo. E na obsessão pela prosperidade.

16

O medo do outro

Se há uma coisa certa em nosso cotidiano contemporâneo, é o medo. O aumento da informação e as inseguranças da vida se tornaram, aparentemente, insuportáveis. Entre as paranoias contemporâneas, uma me chama atenção: o medo do outro.

Apesar dos discursos éticos sobre a ética da alteridade e as campanhas para "amarmos" os outros e os aceitarmos (o que em termos de *a priori* ético é importante mesmo), alguns sintomas parecem apontar na direção contrária. Se no atacado fala-se de ética do outro, no varejo do dia a dia a tendência parece ser de aumento da desconfiança.

A própria moda de acertar acordos pré-nupciais parece apontar na direção da desconfiança do que o outro (supostamente alguém que você amaria, por isso quer se juntar a ele em casamento) fará depois de algum tempo de vida em conjunto. Ao mesmo tempo em que se fala em aceitar todos os refugiados do mundo, cresce o nacionalismo na Europa. À medida que se fala em aceitar os trans, cresce a violência contra eles. À medida que se fala em amor a todos, o movimento negro se torna mais violento nas suas críticas, por exemplo, ao uso de adereços africanos por brancos (a tal da "apropriação cultural", conceito paradigmático do ridículo das políticas identitárias).

Talvez não seja possível "amar" todos os outros. À medida que a sociedade se torna mais diversa, a demanda para aceitarmos as diferenças aumenta. Se pensarmos em termos evolucionários, provavelmente não fomos adaptados à interação com um conjunto tão diverso de pessoas (o acesso a tudo era mais difícil nestes 100 mil anos de *Sapiens sapiens*). Sendo isso provavelmente verdade, a pressão pela aceitação de "muitos outros" em nosso cotidiano pode se transformar mesmo num medo sistêmico desses mesmos outros, para além do que qualquer ética da alteridade espere de nós.

Se as pesquisas acerca dos mais jovens indicam redução na atividade sexual, isso pode ser indício do pânico que representa a entrega afetiva que existe na atividade sexual. Há uma epidemia de medo da intimidade mais profunda. Uma epidemia de intolerância com o outro concreto, apesar de declarações de amor pelo outro abstrato.

O medo desse outro concreto pode se constituir numa das maiores marcas de uma sociedade que ama se enganar acerca de suas próprias capacidades cotidianas.

Se pensarmos no outro como variáveis fora de nosso controle (como o futuro, o desconhecido, o acaso, o corpo), o medo é, então, maior ainda. O próprio envelhecimento se torna um outro de si mesmo, insuportável a ser vivido. A aposta é chegarmos a um cotidiano tão controlado que entregaremos nossas experiências pessoais a algoritmos que nos dirão o que é mais seguro fazer a cada passo.

A decisão de não ter filhos

Se há um cotidiano mais infernal para os contemporâneos, é a lida com filhos. Filhos são muito caros, duram muito e não obedecem. A educação deles se tornou um desafio constante devido ao acúmulo de teorias sobre como "criar" o filho ideal, saudável, criativo, falando línguas, respeitando todos os outros da face da Terra. A pressão para sermos pais plenos nos leva à escolha de não termos que ser pais em absoluto.

Devido ao avanço da diversidade de papéis femininos (e, por consequência, dos papéis masculinos na lida com os filhos), chegamos à conclusão racional de que o melhor é a (quase) eliminação dos filhos de nosso cotidiano. Se não o fizemos plenamente, é porque a necessidade narcísica, principalmente para as mulheres, ainda passa por ter, pelo menos, um filho. Se em algum momento essa necessidade narcísica se dissolver, o caminho estará aberto para investirmos plenamente em cachorros, que são mais baratos, nos amam incondicionalmente e duram menos. O nível de risco é infinitamente menor porque o cachorro é um outro muito mais controlável, no comportamento, na duração do tempo, na estabilidade da devolutiva afetiva.

Fruto do sucesso moderno na relação de controle com as variáveis da vida, a decisão de reduzir drasticamente a presença de crianças em nosso cotidiano imediato implicará o cenário de idosos solitários e entediados descritos anteriormente. Mas mesmo o medo da solidão não vence o desconforto do caráter invasivo que se tornou a lida com filhos, para almas narcísicas que optaram pela mímica da autossuficiência.

Um cotidiano sem filhos significa um cotidiano mais limpo, com mais vinhos, mais sexo, menos rugas e mais viagens sofisticadas, além, é claro, do fato evidente de que filhos nos tornam pobres. Gays sempre tiveram mais dinheiro porque nunca tiveram filhos. Salvo raras exceções. Finalmente, os heterossexuais estão copiando os modos homossexuais de vida.

Pesquisas em Sociologia da Felicidade começam a aparecer provando que casais sem filhos têm uma qualidade de relacionamento melhor do que casais descabelados com filhos. As Ciências Humanas, assim, aprofundam sua vocação mais recente de seguir as modas de comportamento e de se dedicar a destruir o cuidado com a vida.

Política: o cotidiano do eleitor real

Vivemos num momento de ativa participação no debate político via mídias sociais. Elas são como assembleias em rede, e toda assembleia é pobre em repertório e vocabulário. Quem já esteve numa sabe.

A participação política em mídias sociais intensifica a polarização e os ódios, mas não garante a participação institucional. Pelo contrário, as redes tendem a desqualificar a democracia representativa, privilegiando o populismo. Mas, independentemente das mídias sociais, a participação qualificada na política não parece ser o cotidiano verdadeiro dos eleitores. As pessoas gostam de passar a imagem que estão inseridas na política, mas as pesquisas empíricas parecem apontar para outro quadro.

Existem duas formas de se fazer Ciência Política em democracia. A forma mais comum até hoje tem sido a de pensar a democracia como projeto de construção de virtudes sociais e políticas, e não como comportamento político dos eleitores (esta é a forma mais científica e recente de se fazer Ciência Política). A primeira ocupa a maior parte do discurso em mídia. A segunda aparece como dado observável mais em mídias sociais.

A Ciência Política empírica, diferente da Ciência Política como projeto democrático, é menos bela e entusiasmante, porque ela revela mais o comportamento dos eleitores do que a idealização deles, seja pela mídia profissional, seja por eles mesmos. Desejamos eleitores que, na realidade, não existem. No limite, a idealização não é mais apenas ideológica, é narcísica.

O que as pesquisas empíricas apontam, nos EUA, é um eleitor desatento às escolhas de seus candidatos ao legislativo. Essa desatenção não é fruto, exatamente, de desinteresse profundo, mas sim de simples falta de tempo. Os eleitores, na maior parte do tempo, estão casando, divorciando, tendo filhos, morrendo, perdendo o emprego, procurando emprego, sofrendo no amor, enfim, se afogando na realidade. O perfil de quem se ocupa de fato com política é restrito a três tipos: profissionais de mídia e academia, políticos profissionais e militantes políticos cheios de viés ideológico.

Quanto a se informar sobre candidatos por meio de pesquisas, o cenário é semelhante. Afora os profissionais de mídia e acadêmicos (propensos a viés ideológico próximo aos militantes), políticos e militantes pesquisam pra reforçar suas posições prévias ou possíveis candidatos que podem pôr em risco seus objetivos eleitorais.

O resultado desse cenário é que, apesar de posarem de eleitores empenhados em se informar, a maioria dos eleitores pouco se dedica a essa atividade, e os que o fazem, em grande parte, o fazem não para "ampliar o debate", mas para reduzir o debate de fato.

O marketing da "consciência política crítica" é parte da "*folk theory of democracy*", a lenda da democracia. Não existe essa consciência crítica, mesmo entre os mais letrados. Pesquisas nas melhores universidades americanas mostram que seus alunos fazem escolhas profundamente equivocadas em plebiscitos sobre reformas físicas ou organizacionais nas universidades por conta de viés ideológico.

Quanto ao desinteresse profundo, afora a apatia descrita anteriormente por conta do cotidiano real, muita gente mais informada (o que hoje é um número significativo devido às mídias sociais, mesmo que com informação pouco qualificada) se torna desencantada com a política justamente pelo acesso a mais dados. Aliás, o processo se assemelha ao despertar do ceticismo como consequência de maior informação e pensamento, descrito desde a Grécia antiga pelos filósofos céticos e apontado alguns capítulos antes. Crer nas virtudes da democracia pura e simplesmente pode ser apenas mais uma forma de dogmatismo cego.

Se falarmos das famosas *fake news* então, a coisa piora: uma das razões do "sucesso" desse negócio é o simples fato de que os eleitores tendem a acreditar e postar tudo que for a favor de seu viés ideológico ou apenas pelo *fun of it*.

Portanto, o cotidiano do eleitor real na democracia está longe da idealização comum feita na mídia. A "consciência política crítica" é um fetiche.

Data science como espelho da alma

O iluminismo francês do século XVIII sonhou com o que chamavam de "física social", ou seja, uma ciência do homem que fosse tão sólida (daí o nome "física") quanto à mecânica newtoniana. Nunca existiu tal "física social". As Ciências Sociais, com raras exceções, se transformaram em igrejinhas para o "bem social" ideologicamente enviesado.

Já no século XXI, as ciências dos dados (*Data Science*) têm as condições mínimas de realizar, em alguma medida, parte desse projeto, usando os rastros deixados nas mídias sociais. Afora os projetos de previsão de epidemias e crimes (alguns deles bem utópicos), os rastros deixados, sejam nas mídias narcísicas, como Facebook ou Instagram, sejam nos buscadores, como Google, menos narcísicos e mais verdadeiros, iluminam um pouco melhor essa alma humana por trás dos celulares.

Na verdade, é o contraste entre os dois tipos de ferramentas que chama mais a atenção. Enquanto nas mídias que servem de plataforma para o narcisismo a tendência é as pessoas mentirem sobre suas vidas, reforçando a compreensão clássica de que a vaidade é a essência na alma humana na sua face mais frágil, as ferramentas de buscadores são mais fidedignas.

Por exemplo, nos EUA, enquanto mulheres desfilam fotos felizes com suas famílias em férias, no Google buscam por formas de identificar se seus maridos são gays ou por que de eles não fazerem sexo com elas ou como saber se eles têm amantes. Já os homens, americanos ou brasileiros, insistem no velho mito de como aumentar o órgão masculino. No Brasil, mulheres também apresentam uma variável próxima das americanas quando indagam como aprender a clonar o celular dos maridos.

Portanto, essa mesma *Data Science* nos revela como as pessoas estão longe de buscas sofisticadas no Google. A vida como ela é reflete mais as inseguranças clássicas do ser humano, com ou sem seus celulares, do que a propaganda descolada feita nas escolas ou no imaginário que fala de jovens preocupados com o consumo de água.

A verdade é que o alto grau de ansiedade contemporâneo é, pelo menos em grande parte, fruto desse imperativo de sermos "*Instagram-worthy*". Ninguém consegue agradar o tempo todo a todo mundo, e quando temos a possibilidade de mergulhar em formas paranoicas e obsessivas de busca de informação e reconhecimento, o fazemos sem a mínima cerimônia. Pergunto-me, às vezes, como é que mentirosos de todos os tipos dizem por aí que as pessoas estão mais evoluídas hoje. Pelo contrário, me parecem mais infantis e incapazes de lidar com os dramas eternos da vida.

O retardamento contemporâneo como eliminação do amadurecimento

Há muito tempo que especialistas apontam para uma tendência ao alargamento da adolescência. O conceito de adolescência mesmo, apesar de hoje ser uma especialidade médica e terapêutica, nunca existiu até ontem. Ele está, do ponto de vista histórico, intimamente associado à complexidade crescente da vida econômica e social, exigindo uma "formação" mais longa, tanto em termos técnicos quanto "psicológicos". Essa mudança pode ser marcada entre o final dos séculos XVIII e XIX.

De lá pra cá, a vida se tornou bem mais complexa e competitiva. Seja no mercado de trabalho, seja no mercado dos afetos. As demandas são tanto para superformação profissional como superresiliência afetiva. Na verdade, no que tange aos jovens, eles estão mesmo é recusando o amadurecimento e morrendo de medo. O resto é mentira do marketing das escolas, universidades, bancos e programas de intercâmbio estudantil.

No que tange aos adultos, o processo não deixa de ser problemático. Tanto neles quanto nos mais jovens, essa eliminação do amadurecimento implica um duplo movimento. Endurecimento da idealização do cotidiano concreto da vida, que implica a simples recusa da lida com as frustrações, derrotas, ambiguidades dos seres humanos e insegurança quanto às fórmulas de sucesso. Ao lado desse endurecimento da idealização (que gera um puritanismo disfarçado), vemos uma tendência crescente à recusa das responsabilidades concretas com esse mesmo cotidiano. Prefere-se projetos "multifocais" que são, na verdade, ausência de foco sobre qualquer coisa. A postura é de alguém que está na vida a passeio. Ao invés de assumirem compromissos, optam por cursos eternos de gastronomia, terapias holísticas e afins. Quanto mais se sobe na classe social, mais infantis. Os mais ricos se acham todos documentaristas que vão mudar o mundo filmando sobre pobres.

Dirão os inteligentinhos que hoje as pessoas são mais donas das suas vidas, eu direi que hoje elas são mais medrosas, investindo em ideias abstratas de mundo e de pessoas, enquanto os jovens se afundam na depressão porque não existem adultos capazes de dar conta da dimensão ambivalente e quase sempre frustrante da vida. A dor, como dizia o filósofo romeno Emil Cioran, emancipou a consciência em meio à matéria sonambúlica. Agora, declara-se que a dor é apenas um ponto de vista opressivo da liberdade para a felicidade. Os gnósticos eram mais maduros em seu despertar cosmológico pessimista.

A eliminação do amadurecimento é, assim, um modo rígido de se dizer mais evoluído e crítico das formas antigas de vida, mas, na verdade, é uma estratégia, ainda que sofisticada, de se voltar para dentro do armário. Não um armário que fala de opções sexuais "malditas", mas um armário em que do lado de fora fica a realidade para além da fantasia. E, como vimos, a realidade sempre cobra um alto preço quando é ignorada.

Inteligência atrapalha a vida?

Este é um clássico na filosofia. As pessoas que se dedicam ao conhecimento, e que seriam, por consequência, mais inteligentes, teriam uma vida mais fácil? Ou mais difícil?

Eu sei que você poderá me indagar, afinal de contas, o que é ser mais inteligente. Não me interessam aqui as definições "científicas" de inteligência, muito menos coisas como QI.

Refiro-me à capacidade de armazenar as informações e tratá-las de forma organizada e original, a fim de termos uma percepção mais sofisticada e menos banal da realidade. Não me importa aqui se essa capacidade é inata ou adquirida. Na verdade, tendo a pensá-la como inata em interação com o meio, o que implica certa dose de determinismo genético nessa habilidade.

Dito isso, voltemos à indagação: a inteligência atrapalha a vida? Temo que, em alguma medida, sim. No caso das mulheres, elas continuamente reclamam que, quando demonstram inteligência (sucesso profissional, articulação de ideias num repertório mais incomum, expectativas de retorno semelhante por parte dos parceiros efetivos ou potenciais), tendem a fracassar nos relacionamentos, chegando algumas a afirmar, assustadas, que devem fingir que são "burras" pra conseguir sexo ou coisas mais sólidas em termos de vínculos. É claro que isso é um beco sem saída para elas.

Afora essa "questão de gênero", a filosofia, desde Sócrates e Platão, investiu na ideia de que uma vida não analisada (como dissemos na abertura desta breve obra) não valia a pena ser vivida. Infelizmente, não sei se podemos concordar facilmente com essa utopia epistemológica (este termo em filosofia significa conhecimento qualificado além do mero senso comum).

A inteligência nos torna, na maioria das vezes, mais exigentes e desencantados ou céticos, como se diz em filosofia – falamos disso antes, quando falávamos do cotidiano do eleitor. A razão parece ter um efeito ácido sobre o espanto e o encanto.

Mas, por outro lado, muitos filósofos mais profundos na avaliação dos efeitos do ceticismo (como consequência de uma inteligência maior aplicada à vida cotidiana e suas expectativas) entendem que quando de fato tocamos uma percepção mais sofisticada das coisas, diminuímos nossas expectativas acerca delas, ao invés de sermos inundados de ansiedade por ter nossas altas demandas atendidas – este é o valor intrínseco do despertar cético. Uma delicada e discreta sabedoria acompanharia a verdadeira sabedoria, que nos levaria a um estado de amadurecimento mais acolhedor para com as inevitáveis contingências da vida. No entanto, se associarmos o acúmulo de informação e seu decorrente repertório com a eliminação do amadurecimento mencionado, o resultado pode ser, sim, uma vida assolada pela ansiedade, insatisfação e desencanto paranoico com o cotidiano, fazendo de nós seres amargos e incapazes de nos encantar com esse mesmo cotidiano em que vivemos.

Para compor um convívio minimamente razoável com outros seres humanos, não basta a inteligência, faz-se necessário uma razoável dose de humildade, e isso só acontece com pessoas que consideram perder o medo de amadurecer ao logo da vida.

A patologia da prosperidade

A prosperidade é algo a ser buscado, sem dúvida. A vida na pobreza material é um inferno. A prosperidade não é apenas um substantivo do mundo material. Quando Nelson Rodrigues dizia que dinheiro compra até amor verdadeiro, deixando os hipócritas do bem em polvorosa, ele queria dizer, entre outras cosias, que dinheiro torna a vida afetiva mais rica, amplia a possibilidade de transformar em ato muitas potências reprimidas pela miséria.

Mas a prosperidade transformada em substantivo intransitivo faz do cotidiano outra forma de inferno. Querer vencer sempre é um tormento, porque, no final, sempre perdemos. Alguém é melhor do que nós em tudo ou de alguma forma.

O maior dano que o verbo "prosperar" causa na sua forma imperativa é a nossa impossibilidade de descanso. Arriscaria dizer que esse é o maior pecado da prosperidade como busca absoluta.

Optar por perder, fracassar, desistir, pode ser uma forma de virtude ou elegância diante do mundo da prosperidade em que vivemos. Afinal, qualquer pessoa minimamente madura sabe que o fracasso humaniza, ao passo que o sucesso é um abismo moral de vaidade.

Sempre tenho a impressão de que a "ciência contemporânea da prosperidade" nos engana de alguma forma. É óbvio que precisamos de otimismo pra sobreviver. Num mundo em que "empreender" é uma maldição obrigatória, estar triste é se abrir ao impasse. Mas o fato mesmo dessa constatação que nos assola deveria nos advertir para o risco da idolatria da prosperidade.

O problema maior dessa idolatria é que ela é um "mecanismo". Este mecanismo, da ordem da produtividade infinita, esmaga o cotidiano, nos levando a perdas cognitivas e afetivas, quando não estéticas (o imperativo da prosperidade infinita carrega em si o pecado da breguice). O crescimento da ansiedade entre os jovens é causado, em muito, por esse mesmo imperativo da prosperidade infinita. Esse mecanismo penetra fundo nas diferentes formas de cotidiano, inviabilizando qualquer modo de estar que nos leve a contemplação. Uma vida sem contemplação é uma vida perdida, porque, desde a Antiguidade, sabe-se que somos um ser que trabalha, aprende e contempla. O descanso é irmão da contemplação, enquanto a prosperidade é gêmea da ansiedade. No reino da ansiedade, a impiedade floresce como uma praga que sufoca em nós algumas de nossas melhores qualidades, entre elas a humildade e a generosidade.

Sexo no meio do expediente

Mentira e histeria são algumas das marcas da vida sexual, sabemos disso desde Freud. Grande parte da vida em civilização está assentada na repressão sexual. Homens se mataram pela posse das mulheres. Mas isso, de lá pra cá, melhorou muito. Ironia?

Nos últimos anos, como consequência da racionalização dos comportamentos a fim de gerar uma sociedade produtiva, conseguimos ampliar essa repressão ao sexo, inclusive na sua dimensão indesejável, que é a violência contra a mulher – e também na aceitação de orientações sexuais minoritárias, o que é em si bom e desejável.

Mas um fenômeno associado a esse processo é a histeria em relação ao sexo no meio do expediente. É evidente que existe assédio no ambiente profissional e que deve ser combatido. O "problema" não está na concordância ou não ao combate. Qualquer pessoa decente concorda com esse combate. O problema está na sexualidade em si. A politização ou judicialização da vida sexual é, em si, uma das formas de repressão ao sexo em nome da vida civilizada produtiva. Mas, quanto mais repressão, mais tesão.

Sendo uma forma de repressão, a interdição crescente ao sexo no meio do expediente tende a crescer como tara. Antes de tudo, por conta do aumento crescente de mulheres no ambiente de trabalho. A *Data Science* tem revelado o crescimento da busca por parte das mulheres mais jovens por vídeos com violência sexual contra a mulher. Estamos falando de busca de vídeos, o que indica, de partida, apenas uma fantasia. Mas a fantasia, como sabemos, é um alimento da vida sexual. Uma vida sexual plenamente "saudável" é uma vida sexual higiênica. Não há tesão na pura e simples "saúde sexual".

Assim como o empoderamento feminino pode ser uma das causas do aumento de busca por parte das mulheres mais jovens por esse tipo de vídeo erótico, o crescimento da interdição ao sexo no meio do expediente pode se constituir apenas num maior ruído contra uma prática que continua existindo. Será que essa prática um dia vai acabar?

A fantasia de se "comer" a gerente ou a secretária (ou fantasias semelhantes por parte de mulheres) não deixou de existir, assim como a realização dessa fantasia. "Colegas" de trabalho que se encontram em convenções corporativas fazem sexo no meio do expediente, ou à noite no hotel em que estão, após um dia de palestras e *workshops*. A expressão "o que aconteceu em Vegas fica em Vegas" ganhou autonomia no mundo corporativo pra incentivar a relação silenciosa entre os parceiros sexuais dentro da mesma corporação – por mais que tudo seja negado.

Claro que o risco de denúncias e problemas jurídicos aumentou enormemente, mas devemos lembrar que o risco na vida sexual é como uma minissaia numa mulher gostosa. A vida sexual não responde facilmente a normas, ela tende a acomodar essas normas a sua forma de ser. É exatamente o aumento do risco do sexo no meio do expediente que pode aumentar a sua prática.

Devemos lembrar também que aumentou o número de mulheres no mundo do trabalho, como dizíamos – e isso é um dado fundamental para o possível aumento do sexo no meio do expediente. Se antes existiam "apenas" as secretárias, agora existem as gerentes, as colegas, as estagiárias, as sócias, as representantes, as clientes, as concorrentes, as advogadas, as médicas, as alunas na faculdade. À medida que o número de mulheres aumentou no mundo do trabalho, aumentou o número de esposas infiéis. O fenômeno é de mão dupla. A mulher viaja a trabalho e também faz sexo na outra cidade, onde ninguém a conhece. Claro que aqui conta o temperamento de cada um, mas, em alguma medida, a ocasião faz o ladrão.

Parece que nós, contemporâneos, esquecemos que quando se coloca homens ao lado de mulheres, a possibilidade da prática sexual aumenta. O próprio ambiente de trabalho se transforma num fetiche enquanto tal. Fazer sexo com a sócia ou a colega de trabalho na mesa do escritório quando este está vazio pode ser uma das formas mais excitantes nesse mundo de patrulhas contra o desejo sexual, esse eterno maldito. Eu apostaria no aumento do sexo no meio do expediente em meio à histeria de denúncias contra o assédio sexual na vida profissional.

O amor em "contratinhos" ou a vida afetiva no mundo dos sites de relacionamento

Ser alfa era o sonho de consumo de homens e mulheres. O cotidiano desses humanos alfa era marcado pelo sucesso acima da média. Dos chimpanzés aos artistas, ser alfa era ter mais mulheres, homens, dinheiro, reconhecimento, poder, enfim, marcar aqueles próximos (e abaixo) deles com a memória heroica.

Entretanto, todos esses "valores" positivos implicavam enfrentamentos típicos de quem era alfa. Como diria Napoleão, mede-se o caráter de um homem pelo número de inimigos que faz ao longo da vida. Ansiedade, solidão, incertezas, medo, conflitos, inveja, ciúmes, enfim, um acúmulo de paixões tristes inundava a vida desses alfas. Por que, afinal, alguém queria ser alfa?

Na verdade, além dos esforços conscientes para se conquistar essa condição, há algo de destino no temperamento, como muitos filósofos sempre disseram. Pessoas mais intensas tendem a não conseguir ser diferentes e, portanto, estão muito longe de viverem uma vida morna. A intensidade é como a compulsão por voar. Além disso, algumas pessoas são melhores do que outras mesmo: mais inteligentes, mais corajosas, mais habilidosas, mais disciplinadas. E isso pode levar você à condição alfa, apesar de hoje estar na moda a mentira geral de que todo mundo é igualmente lindo.

O universo dos sites de relacionamento, ferramenta típica de um mundo cansado, tem uma nova modinha: relacionamento beta, feito por "contratinhos". Os sites de relacionamento são como o iFood: ninguém tem saco pra se vestir pra jantar fora ou pensar na aventura da cozinha, a "comida" deve vir pronta, mesmo que sempre um pouco fria. Mas comida fria é melhor do que passar frio na rua, correndo riscos. A rigor, nada contra: dá trabalho mesmo ficar sacando o comportamento de uma mina de longe. Além do mais, o risco de tomar um fora presencial é muito maior do que alguém não dar um *like* em você. Eis o segredo dos sites de relacionamento: o fora é on-line, não carrega a violência da vida off-line.

Ser um beta é ser minúsculo, mas feliz. Quase semelhante a quem toma ansiolítico e se livra da libido como efeito colateral. Libido e ansiedade são irmãs siamesas. Um "contratinho" visa a uma vidinha de afetinhos segurinhos. Um cotidiano em que não existem sustos do afeto.

O clímax de um relacionamento desse tipo é ver séries da Netflix juntos e pedir comida pelo iFood. Dormir de conchinha também. Nada de arroubos de ciúmes, certezas de dependência, incertezas de ser amado. Mas qual o segredo pra eliminarmos de vez essas paixões tristes?

Eliminarmos de vez toda e qualquer forma de paixão. Você só se livra das incertezas de ser amado se você se livrar do amor enquanto expectativa na vida. Penso num futuro em que não teremos mais afetos. Num mundo beta. Esse é nosso futuro. Mesmo o sexo será sem afeto, logo, anódino, talvez uma gozada seca por parte do homem, talvez uma opção consciente pelo gozo *fake* por parte da mulher.

25 Um modesto exercício de futuro

Não se trata de um exercício sofisticado de profecia. Nelson Rodrigues dizia que só os profetas veem o óbvio. Falemos do óbvio.

Dizia no capítulo anterior que o futuro seria sem sexo significativo. Acho que as ideias predominantes do mundo cotidiano futuro serão a preguiça, o tédio e o medo. Claro, tudo empacotado pra presente. Os idiotas da sociedade do pós-consumo comprarão graus distintos de atividade entediantes. Um mundo em que os seres humanos ganharão uma mesada paga pelos impostos pagos pelas empresas que empregarão apenas algoritmos. Só os utópicos do Vale do Silício, com seus filhos educados na Waldorf e seu socialismo monopolista da informação e seus provedores, terão empregos e serão os donos do capital. Finalmente, a humanidade viverá em paz, hipnotizada por produtos tecnológicos sustentáveis e orgânicos. Chegaremos ao socialismo singular: todo mundo será um adolescente velho.

A paranoia com doenças chegará ao seu clímax civilizatório. Beijos não existirão mais, em nome da segurança jurídica. As crianças, produtos raríssimos, patenteados pelas farmacêuticas, serão seres de saúde absoluta. Ainda mais narcísicos do que os de hoje. Os idiotas que reproduzirem numa gozada pagarão caro à sociedade, em primeiro lugar porque fizeram sexo. O casal será condenado por um tribunal feminista, ele por opressão, ela por colaboracionismo com o opressor. O sexo homossexual será poupado do repúdio porque ninguém engravida ninguém e não haverá interação entre opressor e oprimida – por isso o sexo homossexual será estimulado nas escolas. E, em segundo lugar, por colocarem no mundo alguém equivalente hoje a um fumante: essa criança, filha do acaso e da irresponsabilidade reprodutiva, obrigará a saúde pública a arcar com o ato irresponsável de um homem gozar dentro de uma mulher. Algo que será visto como um ato pré-histórico.

A nova educação desses jovens evoluídos será centrada na economia da autoestima deles – já estamos quase lá. Aliás, não haverá necessidade de ensinar nada a eles, já que quase tudo será feito pela inteligência artificial. Fora os gênios da oligarquia do Silício (americanos e chineses), o resto da humanidade estará apenas preocupada com a própria saúde e a própria autoestima (a redundância é proposital).

A democracia estará nos museus. E nossos descendentes se perguntarão como, algum dia, fomos capazes de nutrir tamanha paixão por ela e crer nela. Estará nos museus ao lado do corredor dedicado às mitologias arcaicas. Algoritmos tomarão as decisões de gestão pública, para o nosso bem. E a política enquanto tal será ocupada em garantir a felicidade entediante de cada dia.

A espiritualidade buscará respostas em aplicativos inteligentes alimentados por dados da consciência cósmico-social. O que a maioria dos consumidores de *posts* disser será tomado como transcendência. Aliás, o único espaço da extinta democracia será o espaço das opiniões grosseiras das mídias sociais.

Os seres humanos, finalmente felizes e saudáveis, gozarão com o fim da privacidade e verão uns aos outros o tempo todo, e, com isso, garantirão a paz e a igualdade definitiva. E terão "mandado tudo à merda". O sono dogmático reinará sobre os olhos cansados.

O autor

LUIZ FELIPE PONDÉ é filósofo graduado pela Universidade de São Paulo (USP), com mestrado pela mesma instituição e pela Université de Paris VIII, além de doutorado também pela USP. É vice-diretor e coordenador de curso da Faculdade de Comunicação e Marketing da Fundação Armando Álvares Penteado (FAAP) e professor da Pontifícia Universidade Católica de São Paulo (PUC-SP). É autor de diversas obras, colunista do jornal *Folha de S.Paulo* e comentarista da TV Cultura. Pela Editora Contexto publicou também *Contra um mundo melhor: ensaios do afeto.*

GRÁFICA PAYM
Tel. [11] 4392-3344
paym@graficapaym.com.br